초능력 급수 한자를 사면
초능력⁺쌤이 우리집으로 온다!

▶ 초능력 쌤과 함께하는 한자 기출문제 풀이 강의 무료 제공

초능력 급수 한자 6급 20-21쪽 **◗동아출판**

[19~20] 다음 한자의 반대 또는 상대되는 한자
를 골라 그 번호를 쓰세요. (반의어)

19. 今 이제금 : ① 古 ② 角 ③ 果 ①
　　　　　　지금　　예 고　　뿔 각　　실과 과

20. 樂 즐거울 락 : ① 公 ② 苦 ③ 各 ②
　　노래 악　　　공평할 공　　쓸 고　　각각 각
　　좋아할 요

친구가 한자 급수를 땄 ～～ 당을 해요.
저도 따고 싶은데 어떻게 하면 좋죠?

초능력 급수 한자로 공부하면 급수 한자뿐
아니라 교과서 어휘력도 키울 수 있다고!

한자에 어휘력까지요? 둘 다 어려운 것
같은데 혼자서 잘할 수 있을까요?

초능력 쌤만 따라 오면 돼! 친절한 기출문제
풀이 강의를 들으면 자신감이 생길 거야!

와~!

와~! 초능력 쌤이랑 공부해서 저도 꼭
한자 급수도 따고, 어휘력도 키워 볼래요!

📶 초능력 급수 한자 무료 스마트러닝 접속 방법

방법 1

방법 2

무료 스마트러닝

동아출판 홈페이지 www.bookdonga.com에 접속
하면 초능력 급수 한자 무료 스마트러닝을 이용할 수
있습니다.

핸드폰이나 태블릿으로 **교재 표지나 본문에 있는 QR코드**를 찍으면 무료
스마트러닝에서 급수 한자 기출문제 풀이 강의를 이용할 수 있습니다.

초능력⁺ 쌤과 키우자, 공부힘!

국어 독해

예비 초등~6학년(전 7권)

- 30개의 지문을 글의 종류와 구조에 따라 분석
- 지문 내용과 관련된 어휘와 배경지식도 탄탄하게 정리

수학 연산

1학년~6학년(전 12권)

- 학년, 학기별 중요 연산 단원 집중 강화 학습
- 원리 강의를 통해 문제 풀이에 바로 적용

맞춤법+받아쓰기

예비 초등~2학년(전 3권)

- 맞춤법의 기본 원리를 이해하기 쉽게 설명
- 맞춤법 문제도 재미있는 풀이 강의로 해결

구구단 / 시계·달력 / 분수

1학년~5학년(전 3권)

- 초등 수학 핵심 영역을 한 권으로 효율적으로 학습
- 개념 강의를 통해 원리부터 이해

비주얼씽킹 초등 한국사 / 과학

1학년~6학년(각 3권)

- 비주얼씽킹으로 쉽게 이해하는 한국사
- 과학 개념을 재미있게 그림으로 설명

급수 한자

8급, 7급, 6급(전 3권)

- 급수 한자 8급, 7급, 6급 기출문제 완벽 분석
- 혼자서도 한자능력검정시험 완벽 대비

급수 한자와 초등 교과서 어휘를 한 번에!

초능력(力)
급수 한자

6급
1~3학년

(사) 한국어문회 주관, 한국한자능력검정회 시행 기준

🎈 한자능력검정시험이란 무엇인가요?

사단법인 한국어문회에서 주관하고 한국한자능력검정회가 시행하는 한자 활용 능력 시험이에요. 공인급수시험(특급~3급Ⅱ)과 교육급수시험(4급~8급)으로 나뉘어요. 초등학생은 교육급수시험(4급~8급)에 목표를 두고 학습하기를 권해요.

🎈 어떤 유형의 문제가 나오나요?

문제 유형은 총 13가지로, 급수에 따라 출제되는 비율이나 유형이 달라요. 6급은 한자의 소리(음)를 묻는 독음 문제와 한자의 뜻과 소리를 묻는 훈음 문제, 한자 쓰기 문제가 주로 출제되고, 반의어와 완성형, 동의어와 동음이의어, 뜻풀이와 필순 문제가 출제돼요. 시험에 출제되는 상위 급수 한자는 하위 급수 한자를 모두 포함하고, 쓰기 배정 한자는 한두 급수 아래의 읽기 배정 한자이거나 해당 급수 범위 내에 있어요.

구분	8급	7급Ⅱ	7급	6급Ⅱ	6급	5급Ⅱ	5급	4급Ⅱ	4급
읽기 배정 한자	50	100	150	225	300	400	500	750	1000
쓰기 배정 한자	0	0	0	50	150	225	300	400	500
독음	24	22	32	32	33	35	35	35	32
훈음	24	30	30	29	22	23	23	22	22
장단음	0	0	0	0	0	0	0	0	3
반의어	0	2	2	2	3	3	3	3	3
완성형	0	2	2	2	3	4	4	5	5
부수	0	0	0	0	0	0	0	3	3
동의어	0	0	0	0	2	3	3	3	3
동음이의어	0	0	0	0	2	3	3	3	3
뜻풀이	0	2	2	2	2	3	3	3	3
약자	0	0	0	0	0	3	3	3	3
한자 쓰기	0	0	0	10	20	20	20	20	20
필순	2	2	2	3	3	3	3	0	0
한문	0	0	0	0	0	0	0	0	0

※ 출제 기준표는 기본 지침 자료로서, 출제자의 의도에 따라 차이가 있을 수 있습니다.
※ 6급Ⅱ 쓰기 배정 한자: 8급 배정 한자 50자 / 6급 쓰기 배정 한자: 7급 배정 한자 150자

🎈 시험 시간 및 문항 수는 어떻게 되나요?

시험 시간은 50분(4급~8급)이고, 급수가 올라갈수록 문항 수가 많아져요. 6급은 총 90문항 중 63문항 이상 맞아야 합격이에요.

구분	8급	7급Ⅱ	7급	6급Ⅱ	6급	5급, 5급Ⅱ, 4급Ⅱ, 4급
출제 문항	50	60	70	80	90	100
합격 문항	35	42	49	56	63	70

※ 이 외 시험 일정과 접수 방법과 관련된 정보는 한국어문회 홈페이지(www.hanja.re.kr)에서 확인할 수 있습니다.

*: 6급Ⅱ

6급 배정 한자는 7급과 8급 한자 150자를 포함합니다. 7급과 8급 한자는 이 책의 175~176쪽을 확인하세요.

이 책으로 공부하는 방법

Step 1 하루 3자씩, 한자 익히기

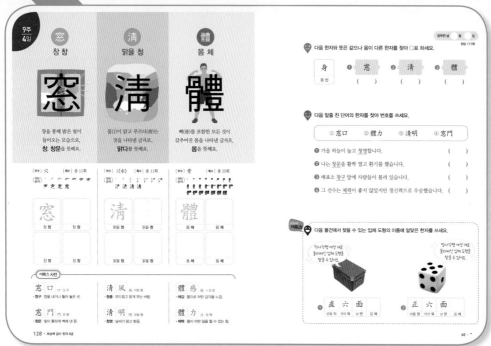

따라 쓰기

하루 3자씩, 그림을 보며 한자를 따라 쓰고 한자 어휘를 익혀요.

확인 문제

간단한 한자 문제와 교과서 어휘력 문제를 풀며 실력을 확인해요.

Step 2 문제로 마무리하기

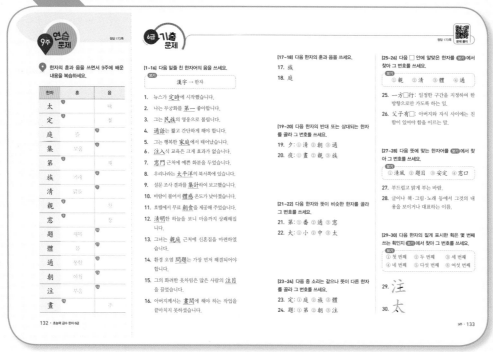

연습 문제

한 주에 배운 한자의 훈과 음을 바르게 알고 있는지 점검해요.

기출문제

기출 유형 문제를 풀며 급수 시험 대비 실력을 쌓아요.

기출문제 풀이 강의

QR 코드를 찍어 기출문제를 완벽하게 분석해요.

Step ③ 교과서 지식 쌓기

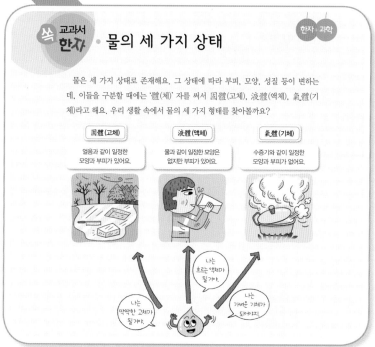

교과서 쏙 지식

한자와 관련된 교과서 속 내용을
읽으며 지식을 쌓아요.

Step ④ 실전 모의고사

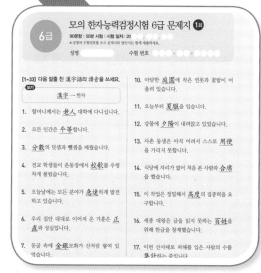

모의 한자능력검정시험 3회

급수 시험 대비 실전 모의고사를 풀며
실제 시험에 대비해요.

Step ⑤ 한자 카드

한자 카드

한자 카드를 잘라서 들고 다니며 간편하게
한자의 훈과 음, 어휘를 익힐 수 있어요.

차례

차근차근 50일 완성

✔ 50일 동안 이 책을 공부하는 데 알맞은 공부 계획표입니다.
✔ 날짜를 적고 매일매일 꾸준하게 공부한 뒤, 잘했는지 확인하세요.

주	날짜		확인	
1주	1日	월 일	☺	☹
	2日	월 일	☺	☹
	3日	월 일	☺	☹
	4日	월 일	☺	☹
	5日	월 일	☺	☹
2주	1日	월 일	☺	☹
	2日	월 일	☺	☹
	3日	월 일	☺	☹
	4日	월 일	☺	☹
	5日	월 일	☺	☹
3주	1日	월 일	☺	☹
	2日	월 일	☺	☹
	3日	월 일	☺	☹
	4日	월 일	☺	☹
	5日	월 일	☺	☹
4주	1日	월 일	☺	☹
	2日	월 일	☺	☹
	3日	월 일	☺	☹
	4日	월 일	☺	☹
	5日	월 일	☺	☹
5주	1日	월 일	☺	☹
	2日	월 일	☺	☹
	3日	월 일	☺	☹
	4日	월 일	☺	☹
	5日	월 일	☺	☹

주	날짜		확인	
6주	1日	월 일	☺	☹
	2日	월 일	☺	☹
	3日	월 일	☺	☹
	4日	월 일	☺	☹
	5日	월 일	☺	☹
7주	1日	월 일	☺	☹
	2日	월 일	☺	☹
	3日	월 일	☺	☹
	4日	월 일	☺	☹
	5日	월 일	☺	☹
8주	1日	월 일	☺	☹
	2日	월 일	☺	☹
	3日	월 일	☺	☹
	4日	월 일	☺	☹
	5日	월 일	☺	☹
9주	1日	월 일	☺	☹
	2日	월 일	☺	☹
	3日	월 일	☺	☹
	4日	월 일	☺	☹
	5日	월 일	☺	☹
10주	1日	월 일	☺	☹
	2日	월 일	☺	☹
	3日	월 일	☺	☹
	4日	월 일	☺	☹
	5日	월 일	☺	☹

1주

1일 各 각각 각  | 角 뿔 각  | 感 느낄 감

2일 強 강할 강 | 開 열 개 | 京 서울 경

3일 界 지경 계 | 計 셀 계  | 高 높을 고

4일 古 예 고  | 苦 쓸 고 | 公 공평할 공

5일 共 한가지 공 | 功 공 공 | 果 실과 과

各
각각 **각**

두 사람이 각자 다른 곳으로
가는 모습으로,
각각을 뜻해요.

角
뿔 **각**

짐승의 머리 위에 있는
뿔 모양으로, **뿔**,
모서리를 뜻해요.

感
느낄 **감**

마음(心)을 다해
이해하는 모습으로,
느끼다를 뜻해요.

（부수）口　　（획수）총 6획
（쓰는 순서）ㄱ ㄱ 久 久 各 各

（부수）角　　（획수）총 7획
（쓰는 순서）ㄱ ㄱ ㄥ 角 角 角 角

（부수）心　　（획수）총 13획
（쓰는 순서）丿 厂 厂 厂 后 后 咸
咸 咸 咸 感 感 感

| 각각 **각** | 각각 **각** |
| 각각 **각** | 각각 **각** |

| 뿔 **각** | 뿔 **각** |
| 뿔 **각** | 뿔 **각** |

| 느낄 **감** | 느낄 **감** |
| 느낄 **감** | 느낄 **감** |

어휘力 사전

各 自 自: 스스로 자
· **각자**: 저마다. 제각기. 각각.

各 國 國: 나라 국
· **각국**: 각 나라.

角 度 度: 법도 도
· **각도**: 각의 크기.

角 木 木: 나무 목
· **각목**: 모서리를 모가 나게 깎은 나무.

感 動 動: 움직일 동
· **감동**: 깊이 느껴 마음이 움직임.

感 氣 氣: 기운 기
· **감기**: 기침, 콧물 등이 생기는 병.

다음 한자 중 음이 같은 한자 두 개를 찾아 ○표 하세요.

❶ 各 　　 ❷ 角 　　 ❸ 感

（　　　） 　　（　　　） 　　（　　　）

다음 밑줄 친 한자의 음을 찾아 번호를 쓰세요.

① 각자　　　② 감동　　　③ 각도　　　④ 감기

❶ **感氣**에 걸려서 병원에 갔습니다. 　　　　（　　　）

❷ 삼각형의 **角度**를 재 보았습니다. 　　　　（　　　）

❸ 영화를 보고 깊은 **感動**을 받았습니다. 　　　（　　　）

❹ **各自** 맡은 일에 최선을 다해야 합니다. 　　（　　　）

强 강할 강

활(弓)에 송진을 발라
활을 더 강하게 만든다는
데서 **강함**을 뜻해요.

(부수) 弓 (획수) 총 11획

(쓰는 순서) ﾞ ﾞ 弓 弘 弛 弪 弦 弦 强 強 強

強	
강할 **강**	강할 **강**
강할 **강**	강할 **강**

開 열 개

두 손으로 닫힌
문을 여는 모습으로,
열다를 뜻해요.

(부수) 門 (획수) 총 12획

(쓰는 순서) ﾞ ﾞ ﾟ ﾟ ﾟ 門 門 門 門 門 開 開

開	
열 **개**	열 **개**
열 **개**	열 **개**

京 서울 경

언덕 위에 높이 솟아 있는
궁궐의 모양으로,
서울(수도)을 뜻해요.

(부수) 亠 (획수) 총 8획

(쓰는 순서) ﾞ ﾞ 亠 古 古 亨 亨 京 京

京	
서울 **경**	서울 **경**
서울 **경**	서울 **경**

어휘力 사전

強 力 力: 힘 력
• **강력**: 힘이 세고 강함.

強 風 風: 바람 풍
• **강풍**: 강한 바람.

開 學 學: 배울 학
• **개학**: 방학이 끝나 다시 수업을 시작함.

公 開 公: 공평할 공
• **공개**: 어떤 사실을 널리 터놓음.

上 京 上: 윗 상
• **상경**: 지방에서 서울로 감.

京 畿 道 畿: 경기 기 / 道: 길 도
• **경기도**: 우리나라 중서부에 있는 도.

😊 다음 한자의 훈과 음을 찾아 선으로 이으세요.

❶ 開 　❷ 京 　❸ 強

· · ·

· · ·

강할 강 　열 개 　서울 경

😊 다음 밑줄 친 단어의 한자를 찾아 번호를 쓰세요.

① 上京　　② 公開　　③ 開學　　④ 強風

❶ 강풍이 불어 나무가 쓰러졌습니다. 　(　)

❷ 개학이 가까워 오자 밀린 숙제를 하느라 바빴습니다. 　(　)

❸ 시민들에게 교육 제도에 대한 정보를 공개하였습니다. 　(　)

❹ 옛날에 지방 사람들은 상경하여 과거 시험을 보았습니다. 　(　)

교과서 어휘力 😈 다음은 국가의 수도를 우리 한자음으로 읽은 이름입니다. 빈칸에 알맞은 한자를 쓰세요.

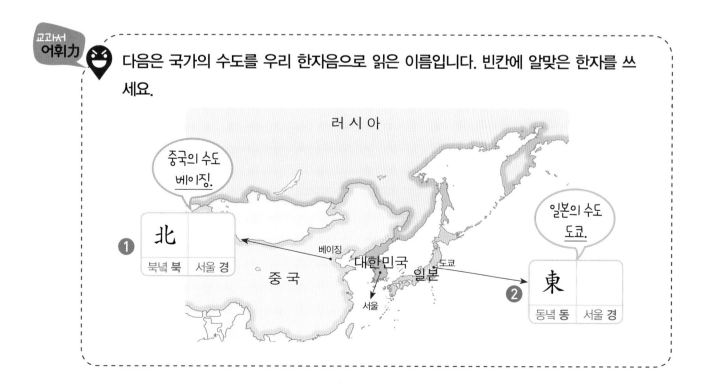

러시아

중국의 수도 베이징.

❶ 北 □ 　북녘 북 | 서울 경

베이징

대한민국

중국

서울

일본의 수도 도쿄.

❷ 東 □ 　동녘 동 | 서울 경

일본

도쿄

界 지경 계

밭과 밭 사이를 나눈 모습으로, 밭의 경계를 구분한다는 데서 **경계**를 뜻해요.

(부수) 田　(획수) 총 9획

(쓰는 순서) ノ 口 曰 田 田 界 界 界 界

지경 **계**	지경 **계**
지경 **계**	지경 **계**

計 셀 계

말(言)로 10(十)과 같은 수를 말하는 모습으로, **세다**를 뜻해요.

(부수) 言　(획수) 총 9획

(쓰는 순서) 丶 二 亖 言 言 言 言 計 計

셀 **계**	셀 **계**
셀 **계**	셀 **계**

高 높을 고

높이 세워진 누각의 모습을 나타낸 글자로, **높다**, **뛰어나다**를 뜻해요.

(부수) 高　(획수) 총 10획

(쓰는 순서) 丶 二 亠 产 产 古 高 高 高 高

높을 **고**	높을 **고**
높을 **고**	높을 **고**

어휘力 사전

世 界　世: 인간 세
• **세계**: 지구상의 모든 나라.

外 界　外: 바깥 외
• **외계**: 지구 밖의 세계. 또는 자기 몸 밖의 범위.

計 算　算: 셈 산
• **계산**: 숫자나 수량을 헤아림.

時 計　時: 때 시
• **시계**: 시각을 나타내거나 시간을 재는 기계.

高 等　等: 무리 등
• **고등**: 등급이나 수준이 높음.

高 級　級: 등급 급
• **고급**: 가격이 비싸거나 정도, 품질 등의 등급이 높은 것.

다음 한자와 뜻은 다르지만 음이 같은 한자를 찾아 ◯표 하세요.

計 ❶ 高 ( ) ❷ 界 ( )

 다음 밑줄 친 한자의 음을 찾아 번호를 쓰세요.

① 고급	② 시계	③ 계산	④ 세계

❶ 時計를 보고 시간을 알 수 있습니다. ( )

❷ 世界 지도를 펴고 여행갈 곳을 골랐습니다. ( )

❸ 그 연주자는 高級 악기를 사용해서 연주를 했습니다. ( )

❹ 수학 문제를 다 푼 뒤에 計算을 잘했는지 확인합니다. ( )

교과서 어휘力 다음 내용을 보고 빈칸에 알맞은 한자를 쓰세요.

물체나 어떤 공간에서의 온도를 재는 기구예요.

대기 속의 습도를 재는 기구예요.

❶ 溫	度	
따뜻할 온	법도 도	셀 계

❷ 濕	度	
젖을 습	법도 도	셀 계

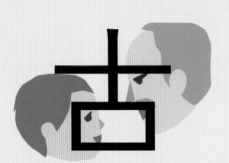

古
예 고

苦
쓸 고

公
공평할 공

열(十) 세대를 걸쳐 입(口)을
통해 옛날의 일들이 전해지는
모습으로, **옛날**을 뜻해요.

풀(艹)이 오래(古)되면
쓰다는 데서
쓰다를 뜻해요.

한쪽으로 치우치지 않고
공평하게 나누는 모습으로
공평하다를 뜻해요.

(부수) 口	(획수) 총 5획

(쓰는 순서) 一 十 十 古 古

(부수) 艹(艸)	(획수) 총 9획

(쓰는 순서) 一 十 卅 卅 芒 芋 苦 苦

(부수) 八	(획수) 총 4획

(쓰는 순서) 丿 八 公 公

古	
예 고	예 고
예 고	예 고

苦	
쓸 고	쓸 고
쓸 고	쓸 고

公	
공평할 **공**	공평할 **공**
공평할 **공**	공평할 **공**

어휘力 사전

古 物　物: 물건 물
• **고물**: 옛날 물건. 헐거나 낡은 물건.

古 代　代: 대신할 대
• **고대**: 옛 시대. 원시 시대와 중세 사이의 시대.

苦 心　心: 마음 심
• **고심**: 몹시 애를 태우며 마음을 씀.

苦 生　生: 날 생
• **고생**: 어렵고 힘든 일을 겪음. 또는 그런 일이나 생활.

公 正　正: 바를 정
• **공정**: 치우침 없이 공평하고 올바름.

公 園　園: 동산 원
• **공원**: 여러 사람이 함께 이용할 수 있는 정원이나 동산.

다음 한자와 뜻이 반대되는 한자를 찾아 ○표 하세요.

新
새 신

❶ 古
( )

❷ 苦
( )

다음 밑줄 친 단어의 한자를 찾아 번호를 쓰세요.

① 公正   ② 古物   ③ 苦生   ④ 苦心

❶ 고심 끝에 어려운 결정을 내렸습니다.   ( )

❷ 그 자전거는 너무 낡아서 고물이 되었습니다.   ( )

❸ 젊어서 고생은 사서도 한다는 말이 있습니다.   ( )

❹ 공정한 사회를 만들기 위해 모두가 노력해야 합니다.   ( )

교과서
어휘力 다음 빈칸에 알맞은 한자를 써서 사자성어를 완성하세요.

동양과 서양, 옛날과 지금 사람들이 모두 모였어요.

공정하게 판단하겠습니다!

동양과 서양, 옛날과 지금을 통틀어 이르는 말이에요.

하는 일이나 태도가 아주 정당하고 떳떳하다는 뜻의 말이에요.

❶
東	西		今
동녘 동	서녘 서	예 고	이제 금

❷
	明	正	大
공평할 공	밝을 명	바를 정	큰 대

共
한가지 공

두 사람이 양손으로 함께
물건을 든 모습으로,
한가지, **함께**를 뜻해요.

(부수) 八　　(획수) 총 6획
(쓰는 순서) 一 十 卄 世 共 共

共	
한가지 **공**	한가지 **공**
한가지 **공**	한가지 **공**

功
공 공

도구를 든 장인(工)이
힘(力)써 훌륭한 일을 한다는
데서 **공**, **공로**를 뜻해요.

(부수) 力　　(획수) 총 5획
(쓰는 순서) 一 T I 功 功

功	
공 **공**	공 **공**
공 **공**	공 **공**

果
실과 과

나무에 열매가 달린 모습을
나타낸 글자로,
과실, **결과**를 뜻해요.

(부수) 木　　(획수) 총 8획
(쓰는 순서) 丶 冂 口 日 旦 里 果 果
果

果	
실과 **과**	실과 **과**
실과 **과**	실과 **과**

어휘力 사전

公 共 公: 공평할 공
- **공공**: 국가나 사회 구성원에게 두루 관계되는 것.

共 感 感: 느낄 감
- **공감**: 다른 사람의 감정, 의견 따위에 대해 자기도 그렇다고 느낌.

成 功 成: 이룰 성
- **성공**: 목적하는 바를 이룸.

功 名 名: 이름 명
- **공명**: 공을 세워 자기의 이름을 널리 드러냄. 또는 그 이름.

成 果 成: 이룰 성
- **성과**: 이루어 낸 결실.

青 果 青: 푸를 청
- **청과**: 신선한 과일과 채소를 통틀어 이르는 말.

다음 한자 중 음이 다른 한자 한 개를 찾아 ◯표 하세요.

❶ 共 ( ) ❷ 果 ( ) ❸ 功 ( )

 다음 밑줄 친 단어의 한자를 찾아 번호를 쓰세요.

① 公共 ② 成功 ③ 共感 ④ 成果

❶ 실패는 성공의 어머니입니다. ( )

❷ 열심히 노력하여 성과가 아주 좋았습니다. ( )

❸ 나만의 이익이 아니라 공공의 이익을 생각합니다. ( )

❹ 그녀는 내 말에 공감하는 듯 고개를 끄덕였습니다. ( )

교과서 어휘力 다음 그림은 무엇을 나타낸 것인지 빈칸에 알맞은 한자를 쓰세요.

개인이 아닌 사회의 모든 사람들의 이익을 위해 일하는 기관이에요. 소방서, 우체국, 학교, 시청 등이 모두 이것에 해당돼요.

↓

公		機	關
공평할 공	한가지 공	틀 기	관계할 관

1주 연습 문제

정답 169쪽

한자의 훈과 음을 쓰면서 1주에 배운 내용을 복습하세요.

한자	훈	음
古	예	①
果	실과	②
開	③	개
高	④	고
各	각각	⑤
公	⑥	공
京	서울	⑦
功	공	⑧
角	⑨	각
界	지경	⑩
感	느낄	⑪
共	⑫	공
苦	⑬	고
計	셀	⑭
強	⑮	강

6급 기출 문제

[1~16] 다음 밑줄 친 한자어의 음을 쓰세요.

보기

漢字 → 한자

1. 이 식물은 高地에서도 잘 자랍니다.
2. 친구와 비밀을 共有하기로 했습니다.
3. 이것은 古代에 만들어진 석상입니다.
4. 各自의 일은 스스로 책임져야 합니다.
5. 순례자들은 苦行의 길을 걷게 됩니다.
6. 그 나라는 세계의 強國 중 하나입니다.
7. 차가운 水正果를 벌컥벌컥 마셨습니다.
8. 이번 선거는 公正하게 치러질 것입니다.
9. 그는 成功을 위해서 최선을 다했습니다.
10. 무작정 上京하였으나 대책이 없었습니다.
11. 그 논문은 學界의 주목을 받기 시작하였습니다.
12. 여름이 되어 전국의 해수욕장이 開場하였습니다.
13. 바닷가에서는 물고기를 잡아 生計를 유지합니다.
14. 결승전에서는 強力한 우승 후보와 경기를 해야 합니다.
15. 두 직선이 만나 이루는 각이 90도인 각을 直角이라고 합니다.
16. 정부는 국민의 共感을 얻을 수 있는 정책을 제시해야 합니다.

[17~18] 다음 한자의 훈과 음을 쓰세요.

17. 界

18. 功

[19~20] 다음 한자의 반대 또는 상대되는 한자를 골라 그 번호를 쓰세요.

19. 今이제금: ① 古 ② 角 ③ 果

20. 樂즐거울락: ① 公 ② 苦 ③ 各

[21~22] 다음 한자와 뜻이 비슷한 한자를 골라 그 번호를 쓰세요.

21. 同: ① 各 ② 共 ③ 高

22. 數: ① 強 ② 感 ③ 計

[23~24] 다음 중 소리는 같으나 뜻이 다른 한자를 골라 그 번호를 쓰세요.

23. 高: ① 京 ② 古 ③ 強

24. 功: ① 感 ② 開 ③ 公

[25~26] 다음 □ 안에 알맞은 한자를 보기에서 찾아 그 번호를 쓰세요.

보기
① 高　　② 強　　③ 公　　④ 苦

25. □明正大 : 하는 일이나 태도가 사사로움이나 그릇됨이 없이 아주 정당하고 떳떳함.

26. 山□水長 : 산은 높이 솟고 강은 길게 흐른다는 뜻으로, 군자의 덕이 높고 끝없음을 비유함.

[27~28] 다음 뜻에 맞는 한자어를 보기에서 찾아 그 번호를 쓰세요.

보기
① 公正　　② 強力　　③ 時計　　④ 世界

27. 힘이 세고 강함.

28. 치우침 없이 공평하고 올바름.

[29~30] 다음 한자의 짙게 표시한 획은 몇 번째 쓰는 획인지 보기에서 찾아 그 번호를 쓰세요.

보기
① 첫 번째　　② 두 번째　　③ 세 번째
④ 네 번째　　⑤ 다섯 번째　　⑥ 여섯 번째

29. 共

30. 各

쏙 교과서 한자 • 각과 다각형

角(각)은 뿔이나 모서리라는 뜻을 가진 한자예요. 이 角(각)이라는 한자는 3개 이상의 선분으로 둘러싸인 도형인 多角形(다각형)의 이름에도 쓰여요. 多角形(다각형)이 변의 수만큼 각을 갖기 때문이에요. 三角形(삼각형), 四角形(사각형), 五角形(오각형), 六角形(육각형)과 같이 말이에요. 다음 그림 속에서 다각형 모양의 물건을 함께 찾아볼까요?

이제 여러 가지 다각형의 이름을 기억하고, 우리 생활 속에서도 다각형과 비슷한 모양의 물건이 있는지 한번 찾아보세요.

2주

1일

科 과목 과 | 光 빛 광  | 交 사귈 교

2일

球 공 구 | 區 구분할/지경 구  | 郡 고을 군

3일

根 뿌리 근 | 近 가까울 근 | 今 이제 금

4일

急 급할 급 | 級 등급 급 | 多 많을 다

5일

短 짧을 단  | 堂 집 당 | 代 대신할 대

科 과목 과

곡식(禾)을 종류별로 나누어 담듯 학문을 여러 갈래로 구분한 **과목**을 뜻해요.

光 빛 광

사람이 머리 위로 횃불(火)을 들고 있는 모습으로, **빛**을 뜻해요.

交 사귈 교

다리를 엇갈리게 꼬고 있는 사람의 모습으로, **사귀다**를 뜻해요.

(부수) 禾　　(획수) 총 9획

(쓰는 순서) 一 二 千 千 禾 禾 禾 科 科

科	
과목 **과**	과목 **과**
과목 **과**	과목 **과**

(부수) 儿　　(획수) 총 6획

(쓰는 순서) 丨 丨 丷 业 兴 光

光	
빛 **광**	빛 **광**
빛 **광**	빛 **광**

(부수) 亠　　(획수) 총 6획

(쓰는 순서) 亠 亠 六 六 交 交

交	
사귈 **교**	사귈 **교**
사귈 **교**	사귈 **교**

 어휘力 사전

科 學 學: 배울 학
- **과학**: 자연의 이치나 사회 현상의 여러 가지 법칙을 연구하는 학문.

科 目 目: 눈 목
- **과목**: 학교에서 가르칠 내용을 분야에 맞게 나눈 것.

光 明 明: 밝을 명
- **광명**: 밝고 환함. 또는 밝은 미래나 희망을 뜻하는 밝고 환한 빛.

日 光 日: 날 일
- **일광**: 해에서 나오는 빛. 햇빛.

交 通 通: 통할 통
- **교통**: 자동차·배·비행기를 이용해 사람이 오고 가거나 짐을 실어 나르는 일.

交 感 感: 느낄 감
- **교감**: 서로 같은 마음이나 생각을 나누고 있다고 느낌.

다음 한자와 음이 같은 한자를 찾아 ○표 하세요.

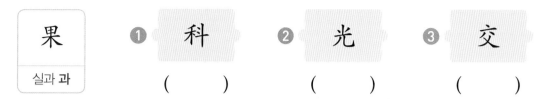

果	❶ 科	❷ 光	❸ 交
실과 **과**	(　　)	(　　)	(　　)

다음 밑줄 친 한자의 음을 찾아 번호를 쓰세요.

> ① 교감 　　② 과목 　　③ 과학 　　④ 광명

❶ *科學* 시간에 실험을 했습니다. 　　　　　　　　(　　)

❷ 우리는 대화를 나누며 서로 *交感*했습니다. 　　(　　)

❸ 하루 동안 여러 *科目*의 시험을 보았습니다. 　(　　)

❹ 1945년 8월 15일, 우리 민족은 *光明*을 되찾았습니다. 　(　　)

교과서 어휘力

다음 내용을 보고 빈칸에 알맞은 한자를 쓰세요.

나는 햇빛으로 에너지를 만드는 친환경 발전 방식이에요.

태양의 빛 에너지를 직접 전기 에너지로 바꾸는 발전 방식이에요. 이 발전 방식은 에너지를 다 써서 사라질 걱정이 없고, 온실가스도 내뿜지 않는다는 장점이 있어요.

太	陽		發	電
클 **태**	볕 **양**	빛 **광**	필 **발**	번개 **전**

球
공 구

옥(玉)을 갈아 공처럼
둥글게 한다는 데서
공, 둥글다를 뜻해요.

(부수) 王(玉)　(획수) 총 11획

(쓰는 순서) 一 一 T 王 王 玎 玎 玎 玎 球 球

공구	공구
공구	공구

區
구분할 구

그릇을 가지런히 나누어
정리한 모습으로 **구분하다,
나누다**를 뜻해요.

(부수) 匚　(획수) 총 11획

(쓰는 순서) 一 一 T F F F 品 品 品 品 區

구분할/지경 **구**	구분할/지경 **구**
구분할/지경 **구**	구분할/지경 **구**

＊區는 '지경 구'로도 쓰여요.

郡
고을 군

임금(君)이 다스리는
곳이라는 데서 **고을** 또는
행정 단위를 뜻해요.

(부수) 阝(邑)　(획수) 총 10획

(쓰는 순서) フ コ ヲ 尹 尹 君 君 君' 郡 郡

고을 군	고을 군
고을 군	고을 군

어휘力 사전

地 球　地: 땅 지
- **지구**: 태양계의 행성 중 하나로, 우리가 살고 있는 곳.

電 球　電: 번개 전
- **전구**: 전기를 이용하여 빛을 내는 공과 같이 둥근 모양의 유리 기구.

區 分　分: 나눌 분
- **구분**: 전체를 어떤 기준에 따라 몇 가지로 묶어서 나누는 것.

區 間　間: 사이 간
- **구간**: 어떤 지점과 다른 지점과의 사이. 정해진 지역.

郡 民　民: 백성 민
- **군민**: 행정 구역의 하나인 군에 사는 사람.

郡 內　內: 안 내
- **군내**: 행정 구역인 고을의 안. 군의 안.

다음 한자와 뜻이 비슷한 한자를 찾아 선으로 이으세요.

· ❶ 球

· ❷ 區

· ❸ 郡

邑
고을 읍

·

다음 밑줄 친 단어의 한자를 찾아 번호를 쓰세요.

| ① 區分 | ② 郡民 | ③ 地球 | ④ 電球 |

❶ 지구는 아름다운 행성입니다.　　　　　　　　　　(　　　)

❷ 신발을 색깔에 따라 구분했습니다.　　　　　　　　(　　　)

❸ 엄마께서 전구를 갈아 끼우셨습니다.　　　　　　　(　　　)

❹ 군민이 함께 밤새 쌓인 눈을 치웠습니다.　　　　　(　　　)

교과서
어휘力

다음 내용을 보고 빈칸에 알맞은 한자를 쓰세요.

나의 위쪽은 북극이고, 아래쪽은 남극이야.

이것은 지구의 모습을 아주 작게 나타낸 모형으로, 실제 지구와 비슷한 공 모양과 같이 생겼어요.

地		本
땅 지	공 구	근본 본

根
뿌리 근

사람의 시선이 나무뿌리를
향하고 있는 모습으로,
뿌리, 근본을 뜻해요.

近
가까울 근

가는 거리를 짧게
만든다는 것에서
가깝다를 뜻해요.

今
이제 금

세월이 흐르고 쌓여
지금에 이르렀다는 것에서
이제, 곧을 뜻해요.

(부수) 木　　(획수) 총 10획

(쓰는 순서) 一 十 才 木 村 村 村 根 根 根

根	
뿌리 근	뿌리 근
뿌리 근	뿌리 근

(부수) 辶(辵)　　(획수) 총 8획

(쓰는 순서) ′ ′ ′ ′ 斤 斤 近 近 近

近	
가까울 근	가까울 근
가까울 근	가까울 근

(부수) 人　　(획수) 총 4획

(쓰는 순서) ノ 人 △ 今

今	
이제 금	이제 금
이제 금	이제 금

어휘力 사전

根 本　　本: 근본 본

• **근본**: 사물의 본질이나 본바탕.

根 氣　　氣: 기운 기

• **근기**: 참을성 있게 견디는 힘. 근본이 되는 힘.

近 來　　來: 올 래

• **근래**: 가까운 요즈음. 요사이.

近 方　　方: 모 방

• **근방**: 어떤 장소에서 가까운 곳.

古 今　　古: 예 고

• **고금**: 옛날부터 지금까지의 기간.

今 方　　方: 모 방

• **금방**: 이제 곧. 지금 막.

 다음 한자 중 음이 다른 한자 한 개를 찾아 ◯표 하세요.

❶ 根   ❷ 今   ❸ 近

( )   ( )   ( )

.

 다음 밑줄 친 한자의 음을 찾아 번호를 쓰세요.

① 금방   ② 근방   ③ 근본   ④ 근래

❶ <u>近來</u>에 그 마을을 찾는 사람이 줄었습니다.   ( )

❷ 민주주의의 <u>根本</u> 이념은 인간 존중입니다.   ( )

❸ 시원한 바람이 불어 땀이 <u>今方</u> 식었습니다.   ( )

❹ 지하철역 <u>近方</u>에서 친구와 만나기로 했습니다.   ( )

교과서
어휘力 다음 내용을 보고 빈칸에 알맞은 한자를 쓰세요.

急

급할 급

級

등급 급

多

많을 다

조급한 마음(心)으로
남을 쫓아가는 모습으로,
급하다를 뜻해요.

앞의 실에 이어 다른 실이 따라
붙듯이, 순서가 있다는 데서
등급을 뜻해요.

살이 많은 고기가
겹쳐져 있는 모습으로,
많다를 뜻해요.

(부수) 心　　(획수) 총 9획

(쓰는 순서) ノ ク ク ケ 今 刍 刍 急 急 急

| 급할 **급** | 급할 **급** |
| 급할 **급** | 급할 **급** |

(부수) 糸　　(획수) 총 10획

(쓰는 순서) ㄴ ㄠ ㄠ ㄎ ㅾ 糸 糸 紉 紉 級 級

| 등급 **급** | 등급 **급** |
| 등급 **급** | 등급 **급** |

(부수) 夕　　(획수) 총 6획

(쓰는 순서) ノ ク ク 夕 多 多

| 많을 **다** | 많을 **다** |
| 많을 **다** | 많을 **다** |

어휘力 사전

急 行　　行: 다닐 행
•**급행**: 급하게 감. 보통 열차보다 빠르고
정지하는 역이 적은 버스나 열차.

時 急　　時: 때 시
•**시급**: 시각을 다툴 만큼 몹시 급함.

學 級　　學: 배울 학
•**학급**: 같은 교실에서 같이 가르침을 받
는 학생의 집단.

級 訓　　訓: 가르칠 훈
•**급훈**: 학급의 교육 목표로 정한 교훈.

多 少　　少: 적을 소
•**다소**: 분량이나 정도의 많고 적음. 어느
정도로.

多 方 面　　方: 모 방
面: 낯 면
•**다방면**: 여러 분야나 방면.

다음 한자 중 음이 같은 한자 두 개를 찾아 ○표 하세요.

❶ 急 　　❷ 級 　　❸ 多

(　　) 　　(　　) 　　(　　)

다음 밑줄 친 단어의 한자어를 찾아 번호를 쓰세요.

① 急行　　② 時急　　③ 學級　　④ 多方面

❶ 그는 다방면에 재능이 많습니다. 　　　　　　　　　　(　　)

❷ 우리 학급에는 여학생보다 남학생이 많습니다. 　　　　(　　)

❸ 플라스틱 쓰레기 문제를 해결하는 것이 시급합니다. 　(　　)

❹ 급행 버스를 타면 일반 버스보다 목적지에 빨리 도착합니다. (　　)

 다음 내용을 보고 빈칸에 알맞은 한자를 쓰세요.

다양한 의견을 하나로 모으기 위해 많은 사람들의 의견에 따라 결정하는 것을 뜻해요.

↓

	數	決
많을 **다**	셈 **수**	결단할 **결**

短

짧을 단

짧은 것의 길이를 화살(矢)
이나 콩(豆)으로 쟀다는 데서
짧다를 뜻해요.

(부수) 矢　　(획수) 총 12획

(쓰는 순서) ノ ト ヒ 午 矢 矢 知
知 知 短 短 短

短	
짧을 단	짧을 단
짧을 단	짧을 단

堂

집 당

흙(土)을 높이 쌓아 그 위에
건물을 세운 모습으로,
집을 뜻해요.

(부수) 土　　(획수) 총 11획

(쓰는 순서) ˙ ˙ ˙ ̇ 半 半 尚 尚
尚 堂 堂 堂

堂	
집 당	집 당
집 당	집 당

代

대신할 대

앞 세대에 이어 다음 세대가
그 자리를 대신한다는 데서
대신하다를 뜻해요.

(부수) 亻(人)　　(획수) 총 5획

(쓰는 순서) ノ 亻 仁 代 代

代	
대신할 대	대신할 대
대신할 대	대신할 대

어휘力 사전

長 短　長: 긴 장
• **장단**: 길고 짧음. 좋은 점과 나쁜 점.

短 身　身: 몸 신
• **단신**: 작은 키의 몸.

食 堂　食: 밥 식
• **식당**: 음식을 만들어 파는 가게.

天 堂　天: 하늘 천
• **천당**: 천국, 하느님이나 신이 있다는 하
늘나라.

交 代　交: 사귈 교
• **교대**: 어떤 일을 여러 사람이 서로 번갈
아 맡아 함.

代 表　表: 겉 표
• **대표**: 전체의 상태나 성질을 어느 하나
로 잘 나타냄.

다음 한자와 뜻이 같은 한자를 찾아 ◯표 하세요.

家	❶ 短	❷ 堂	❸ 代
집 가	( )	( )	( )

😄 다음 밑줄 친 한자의 음을 찾아 번호를 쓰세요.

> ① 식당 ② 교대 ③ 시대 ④ 장단

❶ 밥을 먹으러 **食堂**에 갔습니다. ( )

❷ 모든 일에는 **長短**이 있기 마련입니다. ( )

❸ **時代**에 따라 사람들의 옷차림이 다릅니다. ( )

❹ 우리는 아픈 친구의 가방을 **交代**로 들어 주었습니다. ( )

 다음 빈칸에 알맞은 한자를 써서 어떤 말에 대한 설명인지 알아보세요.

하나의 장점이 있으면 단점도 함께 있음을 이르는 말이에요.

❶ 一	長	一	
한 일	긴 장	한 일	짧을 단

태도나 수단이 부끄러울 것이 없고 떳떳함을 이르는 말이에요.

❷ 正	正		
바를 정	바를 정	집 당	집 당

한자의 훈과 음을 쓰면서 2주에 배운 내용을 복습하세요.

한자	훈	음
球	공	①
光	②	광
短	짧을	③
科	④	과
區	구분할/지경	⑤
急	급할	⑥
近	⑦	근
代	⑧	대
今	이제	⑨
郡	고을	⑩
級	⑪	급
多	많을	⑫
交	⑬	교
堂	집	⑭
根	뿌리	⑮

[1~16] 다음 밑줄 친 한자어의 음을 쓰세요.

보기

漢字 → 한자

1. 달은 地球 주위를 돕니다.

2. 우리 학년은 다섯 學級입니다.

3. 내가 좋아하는 科目은 국어입니다.

4. 우리 郡內에는 병원이 하나뿐입니다.

5. 아버지의 회사는 서울 中區에 있습니다.

6. 그 사람은 短身이지만 힘은 무척 셉니다.

7. 이 가게는 近方에서 가장 오래된 곳입니다.

8. 今年에는 배추 농사가 무척 잘되었습니다.

9. 맛집이라고 소문난 食堂을 찾아갔습니다.

10. 이 區間에는 자전거 전용 도로가 있습니다.

11. 科學의 발전으로 생활이 편리해졌습니다.

12. 학교 폭력은 해결해야 할 時急한 문제입니다.

13. 우리는 다친 친구를 交代로 업고 정상에 도착했습니다.

14. 학자는 多年間에 걸쳐 그 지역에 대해 연구했습니다.

15. 조상들은 우리 민족의 光明을 찾기 위해 노력했습니다.

16. 오늘날은 통신의 발달로 정보화 時代에 살고 있습니다.

[17~18] 다음 한자의 훈과 음을 쓰세요.

17. 球

18. 郡

[19~20] 다음 한자의 반대 또는 상대되는 글자를 골라 그 번호를 쓰세요.

19. 多: ① 前 ② 內 ③ 少

20. 短: ① 近 ② 長 ③ 大

[21~22] 다음 한자와 뜻이 비슷한 한자를 골라 그 번호를 쓰세요.

21. 色: ① 光 ② 木 ③ 近

22. 家: ① 代 ② 急 ③ 堂

[23~24] 다음 중 소리는 같으나 뜻이 다른 한자를 골라 그 번호를 쓰세요.

23. 科: ① 果 ② 今 ③ 本

24. 交: ① 多 ② 文 ③ 校

[25~26] 다음 □ 안에 알맞은 한자를 보기 에서 찾아 그 번호를 쓰세요.

보기
① 光 ② 多 ③ 短 ④ 今

25. 一長一□: 하나의 장점과 하나의 단점이라는 뜻으로, 장점과 단점이 함께 있음을 이르는 말.

26. 電□石火: 번갯불이나 부싯돌의 불이 번쩍이는 것처럼 매우 짧은 시간이나 재빠른 움직임.

[27~28] 다음 뜻에 맞는 한자어를 보기 에서 찾아 그 번호를 쓰세요.

보기
① 交感 ② 成果 ③ 區分 ④ 近來

27. 서로 마음을 나누고 있다고 느끼는 것.

28. 전체를 기준에 따라 몇 가지로 묶어서 나누는 것.

[29~30] 다음 한자의 짙게 표시한 획은 몇 번째 쓰는 획인지 보기 에서 찾아 그 번호를 쓰세요.

보기
① 첫 번째 ② 두 번째 ③ 세 번째
④ 네 번째 ⑤ 다섯 번째 ⑥ 여섯 번째

29. 光

30. 急

쏙 교과서 한자 • 공을 이용한 운동

공을 이용한 운동을 해 본 적이 있나요? 공을 이용해서 하는 운동에는 둥근 공을 뜻하는 한자인 球(구)가 쓰인 것들이 많아요. 한자 球(구)가 쓰인 운동에는 어떤 것들이 있는지, 친구들의 모습을 통해 알아보아요.

野球 (야구)	蹴球 (축구)
卓球 (탁구)	籠球 (농구)

이 밖에도 排球(배구), 水球(수구)와 같이 공을 이용한 운동들이 있답니다. 운동 종목의 이름에 球(구)가 들어간다면 공을 이용해서 하는 운동이라는 것을 잘 기억해 두도록 해요.

3주

1일

待 기다릴 대

對 대할 대

圖 그림 도

2일

度 법도 도/ 헤아릴 탁

讀 읽을 독/ 구절 두

童 아이 동

3일

頭 머리 두

等 무리 등

樂 즐길 락/노래 악/ 좋아할 요

4일

例 법식 례

禮 예도 례

路 길 로

5일

綠 푸를 록

利 이할 리

理 다스릴 리

待 기다릴 대

사람이 절(寺)에 들어가
때를 기다린다는 데서
기다리다를 뜻해요.

(부수) 彳　　(획수) 총 9획

(쓰는순서) 丿 ㇒ 彳 彳 彳 彳 待 待 待

待	
기다릴 대	기다릴 대
기다릴 대	기다릴 대

對 대할 대

누군가를 마주하기 위해 촛대를
들고 불을 밝힌 모습으로,
대하다를 뜻해요.

(부수) 寸　　(획수) 총 14획

(쓰는순서) 丨 丨 丬 丬 丱 丱 丱 丱 丱 丱 丵 丵 對 對

對	
대할 대	대할 대
대할 대	대할 대

圖 그림 도

경계 구역을 명확히 하기 위해
둘레(口)를 그렸다는 데서
그림을 뜻해요.

(부수) 口　　(획수) 총 14획

(쓰는순서) 丨 冂 冂 冂 冋 冋 冎 冎 圖 圖 圖 圖 圖 圖

圖	
그림 도	그림 도
그림 도	그림 도

어휘力 사전

下 待　　下: 아래 하
• **하대**: 상대편을 낮게 대우함.

苦 待　　苦: 쓸 고
• **고대**: 몹시 기다림.

對 答　　答: 대답 답
• **대답**: 물음이나 요구에 응함.

對 話　　話: 말씀 화
• **대화**: 서로 마주하여 이야기를 주고받
는 것.

圖 表　　表: 겉 표
• **도표**: 그림으로 그려 나타낸 표.

地 圖　　地: 땅 지
• **지도**: 지구 표면의 상태를 일정하게 줄
여 평면에 나타낸 그림.

😊 다음 한자 중 음이 같은 한자 두 개를 찾아 ○표 하세요.

① 待　　　　② 對　　　　③ 圖

　（　　　）　　　　（　　　）　　　　（　　　）

😊 다음 밑줄 친 단어의 한자를 찾아 번호를 쓰세요.

> ① 下待　　② 對答　　③ 對話　　④ 圖表

❶ 질문에 알맞은 대답을 해 주었습니다.　　　　　　　（　　　）

❷ 문제가 있으면 대화로 해결해야 합니다.　　　　　　（　　　）

❸ 발표할 때 도표를 이용하면 이해하기 쉽습니다.　　（　　　）

❹ 양반들은 머슴의 나이가 아무리 많아도 하대하였습니다.　（　　　）

교과서 어휘力 😈 다음 빈칸에 공통으로 들어갈 한자를 쓰세요.

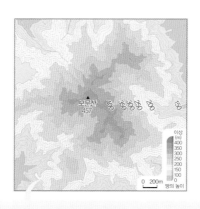

땅 위의 모양과 땅 위에 서 있는 사물들을 정확하고 자세히 그린 그림이에요.

❶ | 地 | 形 |
|---|---|
| 땅 지 | 모양 형 | 그림 도 |

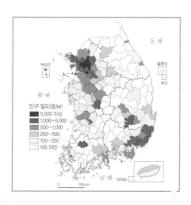

인구의 많고 적음이나 위치를 한눈에 알기 쉽게 표시한 지도예요.

❷ | 人 | 口 | 分 | 布 |
|---|---|---|---|
| 사람 인 | 입 구 | 나눌 분 | 베 포 | 그림 도 |

度 법도 도

손으로 여러 가지를
헤아려 잰다는 데서
법도, 정도를 뜻해요.

讀 읽을 독

소리 내어(言) 글을
읽는다는 데서
읽다를 뜻해요.

童 아이 동

마을(里)에 서서(立) 노는
아이의 모습으로,
어린아이를 뜻해요.

(부수) 广　　(획수) 총 9획
(쓰는 순서) 丶 亠 广 广 庐 庐 庐 度 度

度	
법도 **도**/헤아릴 **탁**	법도 **도**/헤아릴 **탁**
법도 **도**/헤아릴 **탁**	법도 **도**/헤아릴 **탁**

*度는 '헤아릴 탁'으로도 쓰여요.

(부수) 言　　(획수) 총 22획
(쓰는 순서) 丶 亠 亠 言 言 言 言 計 計 讀 讀 讀 讀 讀 讀 讀 讀 讀 讀 讀 讀

讀	
읽을 **독**/구절 **두**	읽을 **독**/구절 **두**
읽을 **독**/구절 **두**	읽을 **독**/구절 **두**

*讀은 '구절 두'로도 쓰여요.

(부수) 立　　(획수) 총 12획
(쓰는 순서) 丶 亠 亠 立 立 产 音 音 音 音 童 童

童	
아이 **동**	아이 **동**
아이 **동**	아이 **동**

어휘力 사전

强 度　　强: 강할 강

• **강도**: 강한 정도.

溫 度　　溫: 따뜻할 온
• **온도**: 덥거나 찬 정도.

讀 書　　書: 글 서

• **독서**: 책을 읽음.

讀 者　　者: 놈 자
• **독자**: 책, 신문, 잡지 등을 읽는 사람.

童 心　　心: 마음 심

• **동심**: 어린아이의 마음.

童 話　　話: 말씀 화
• **동화**: 어린이를 위해 지은 이야기.

다음 한자와 음이 같은 한자를 찾아 ○표 하세요.

同	❶ 度	❷ 讀	❸ 童
한가지 **동**	( )	( )	( )

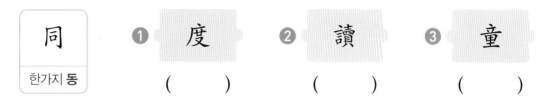 다음 밑줄 친 한자의 음을 찾아 번호를 쓰세요.

① 독서	② 온도	③ 동화	④ 독자

❶ 바깥의 **溫度**는 영하 1도입니다.　　　　　　　　　(　)

❷ **讀書**를 하면 지식이 풍부해집니다.　　　　　　　(　)

❸ 할머니께서 **童話**책을 읽어 주셨습니다.　　　　　(　)

❹ 출판사에서 **讀者**와 작가가 만나는 모임이 열렸습니다.　　(　)

교과서 어휘力 다음 빈칸에 공통으로 들어갈 한자를 쓰세요.

호랑이와 곶감

혹부리 영감

해와 달이 된 오누이

'호랑이와 곶감', '혹부리 영감', '해와 달이 된 오누이'와 같이 옛날부터 전해 오는 어린이들을 위한 이야기를 말해요.

傳	來		話
전할 **전**	올 **래**	아이 **동**	말씀 **화**

頭
머리 두

발이 달린 그릇(豆)처럼 사람의 머리가 몸 위에 달려 있다는 데서 **머리**를 뜻해요.

等
무리 등

관청(寺)에서 대나무(竹)에 쓴 문서를 분류한 모습으로, **무리**, **등급**을 뜻해요.

樂
즐길 락

받침대 위에 악기가 놓여 있는 모습으로 **즐기다**를 뜻해요.

(부수) 頁 (획수) 총 16획

(쓰는 순서) 一 丆 丙 丙 豆 豆 豆 豇 豇 豇 頭 頭 頭 頭 頭 頭

頭 | 머리 **두** | 머리 **두** | 머리 **두** | 머리 **두**

(부수) 竹 (획수) 총 12획

(쓰는 순서) ノ ⺈ ⺮ ⺮ ⺮ ⺮ ⺮ 笁 笁 笙 等 等

等 | 무리 **등** | 무리 **등** | 무리 **등** | 무리 **등**

(부수) 木 (획수) 총 15획

(쓰는 순서) ノ 亻 白 白 白 𫝀 𫝀 𫝀 𫝀 𫝀 𫝀 𫝀 樂 樂 樂

樂 | 즐길 **락**/노래 **악** | 즐길 **락**/노래 **악** | 즐길 **락**/노래 **악** | 즐길 **락**/노래 **악**

* 樂은 '노래 악', '좋아할 요'로도 쓰여요.

어휘力 사전

先頭 先: 먼저 선
- **선두**: 맨 앞, 또는 맨 앞에 서는 사람.

頭目 目: 눈 목
- **두목**: 도둑과 같은 좋지 못한 무리의 우두머리.

平等 平: 평평할 평
- **평등**: 모든 사람에게 차별 없이 똑같음.

等級 級: 등급 급
- **등급**: 높고 낮음이나 좋고 나쁨의 정도에 따라 나눈 구별.

苦樂 苦: 쓸 고
- **고락**: 괴로움과 즐거움.

音樂 音: 소리 음
- **음악**: 목소리나 악기로 듣기 좋은 소리를 만드는 예술.

다음 한자의 훈과 음을 찾아 선으로 이으세요.

① 頭 ② 樂 ③ 等

즐길 락   머리 두   무리 등

 다음 밑줄 친 단어의 한자를 찾아 번호를 쓰세요.

① 頭目   ② 等級   ③ 音樂   ④ 平等

❶ 모든 사람은 평등합니다.   (   )

❷ 경찰은 범죄 조직의 두목을 체포했습니다.   (   )

❸ 그는 피아노로 아름다운 음악을 연주했습니다.   (   )

❹ 저희 과수원에서는 최고 등급의 사과를 판매합니다. (   )

교과서 어휘力 다음 빈칸에 알맞은 한자를 써서 사자성어를 완성하세요.

기쁨과 노여움, 슬픔과 즐거움이라는 뜻으로, 사람의 여러 가지 감정을 이르는 말이에요.

① 喜 怒 哀 □
기쁠 희 성낼 로 슬플 애 즐길 락

괴로움과 즐거움을 함께한다는 뜻으로, 같이 고생하고 같이 즐김을 뜻하는 말이에요.

② 同 苦 同 □
한가지 동 쓸 고 한가지 동 즐길 락

例 법식 례

사람(亻)들이 줄(列)을
맞춰 서 있다는 데서
법식을 뜻해요.

(부수) 亻(人)　(획수) 총 8획

(쓰는 순서) ノ 亻 亻 仒 仮 佋 例 例

| 例 법식 **례** | 법식 **례** |
| 법식 **례** | 법식 **례** |

*例가 단어의 첫머리에 오면 '예'로 읽어요.

禮 예도 례

음식을 풍성하게(豊) 차리고
예의를 다하여 제사를 지낸다는
데서 **예도, 예절**을 뜻해요.

(부수) 示　(획수) 총 18획

(쓰는 순서) 一 二 亍 示 示 示 和
祀 和 禮 禮 禮 禮 禮
禮 禮 禮 禮

| 禮 예도 **례** | 예도 **례** |
| 예도 **례** | 예도 **례** |

*禮가 단어의 첫머리에 오면 '예'로 읽어요.

路 길 로

사람들이 각각(各) 발(足)로
걸어 다니는 곳이라는 데서
길을 뜻해요.

(부수) 足　(획수) 총 13획

(쓰는 순서) 丶 ㅁ ㅁ ㅁ 日 무 뫈
뫈 뫈 路 路 路 路

| 路 길 **로** | 길 **로** |
| 길 **로** | 길 **로** |

*路가 단어의 첫머리에 오면 '노'로 읽어요.

―(어휘力 사전)―

例 外　外: 바깥 외
•**예외**: 일반적 규칙에서 벗어나는 일.

事 例　事: 일 사
•**사례**: 어떤 일이 전에 실제로 일어난 예.

禮 服　服: 옷 복
•**예복**: 예식 때 입는 옷.

目 禮　目: 눈 목
•**목례**: 눈으로 가볍게 인사함.

道 路　道: 길 도
•**도로**: 사람이나 차가 다니는 길.

通 路　通: 통할 통
•**통로**: 다닐 수 있게 트인 길.

다음 한자와 뜻이 비슷한 한자를 찾아 ◯표 하세요.

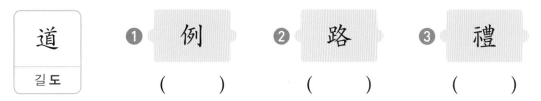

道	❶ 例	❷ 路	❸ 禮
길 도	( )	( )	( )

다음 밑줄 친 한자의 음을 찾아 번호를 쓰세요.

① 예외	② 목례	③ 도로	④ 통로

❶ 그 누구도 <u>例外</u>일 수는 없습니다.　　　　　　　　(　)

❷ 주차장 <u>通路</u>에 차를 세우면 안 됩니다.　　　　　(　)

❸ 그들은 서로 간단히 <u>目禮</u>를 하였습니다.　　　　　(　)

❹ 운전할 때에는 <u>道路</u> 표지판을 잘 보아야 합니다.　(　)

교과서 어휘력 다음 빈칸에 알맞은 한자를 써서 대화할 때 지켜야 할 예절을 완성하세요.

➡ 대화할 때에는 다른 사람의 말을 잘 듣고, 말하는 | 次 버금 차 | 법식 례 | 를 지킵니다.

綠
푸를 록

실(糸)을 푸른빛으로
물들이는 모습으로,
푸르다라는 뜻이에요.

利
이할 리

벼(禾)를 칼(刂)로 베어
팔아 살림을 이롭게 한다는
데서 **이롭다**를 뜻해요.

理
다스릴 리

조심스럽게 옥(玉)을 다루듯
나라(里)를 잘 다스렸다는
데서 **다스리다**를 뜻해요.

(부수) 糸   (획수) 총 14획
(쓰는 순서) 糹 糹 糹 糹 糹 糹 糹
糹 糹 糹 糹 糹 糹 綠

綠	
푸를 **록**	푸를 **록**
푸를 **록**	푸를 **록**

*綠이 단어의 첫머리에 오면 '녹'으로 읽어요.

(부수) 刂(刀)   (획수) 총 7획
(쓰는 순서) 一 二 千 禾 禾 利 利

利	
이할 **리**	이할 **리**
이할 **리**	이할 **리**

*利가 단어의 첫머리에 오면 '이'로 읽어요.

(부수) 王(玉)   (획수) 총 11획
(쓰는 순서) 一 二 千 王 玗 玾 珄
玾 玾 理 理

理	
다스릴 **리**	다스릴 **리**
다스릴 **리**	다스릴 **리**

*理가 단어의 첫머리에 오면 '이'로 읽어요.

어휘力 사전

草 綠 草: 풀 초
• **초록**: 푸른빛을 띤 녹색.

綠 地 地: 땅 지
• **녹지**: 풀과 나무가 많아 푸른 땅.

便 利 便: 편할 편
• **편리**: 편하고 이로우며 쓰기 쉬움.

利 用 用: 쓸 용
• **이용**: 대상을 필요에 따라 이롭게 씀.

心 理 心: 마음 심
• **심리**: 마음의 움직임이나 상태.

道 理 道: 길 도
• **도리**: 사람이 마땅히 지켜야 하는 것.

😊 다음 한자와 뜻은 다르지만 음이 같은 한자를 찾아 ○표 하세요.

理　　❶ 利 (　　)　❷ 綠 (　　)

😄 다음 밑줄 친 단어의 한자를 찾아 번호를 쓰세요.

① 綠地　　② 利用　　③ 心理　　④ 便利

❶ 환경을 위해 녹지를 보존해야 합니다.　　　　　　(　　)

❷ 지금 환자는 심리적으로 불안한 상태입니다.　　　(　　)

❸ 자석을 이용해서 나침반을 만들 수 있습니다.　　(　　)

❹ 기계 문명은 우리 생활을 편리하게 해 주었습니다.　(　　)

교과서
어휘力 😈 다음 내용을 보고 빈칸에 알맞은 한자를 쓰세요.

3주 연습 문제

정답 170쪽

한자의 훈과 음을 쓰면서 3주에 배운 내용을 복습하세요.

한자	훈	음
待	기다릴	①
度	법도/헤아릴	②
頭	③	두
例	④	례
綠	푸를	⑤
對	⑥	대
讀	읽을/구절	⑦
等	무리	⑧
禮	⑨	례
利	이할	⑩
圖	⑪	도
童	아이	⑫
樂	즐길/노래/좋아할	⑬
路	⑭	로
理	다스릴	⑮

6급 기출 문제

[1~16] 다음 밑줄 친 한자어의 음을 쓰세요.

보기

漢字 → 한자

1. 친구와 對話를 나눕니다.
2. 이 동네는 교통이 便利합니다.
3. 자식으로서 道理를 다해야 합니다.
4. 겨울철에는 溫度가 매우 낮습니다.
5. 교통사고로 시내 道路가 막혔습니다.
6. 童話 속에서 신나는 일이 펼쳐집니다.
7. 부부는 긴 세월 苦樂을 함께했습니다.
8. 가을은 讀書하기에 좋은 계절입니다.
9. 모든 사람은 平等할 권리가 있습니다.
10. 은행에 저축을 하면 利子를 받습니다.
11. 그 야구 선수는 홈런 부문 先頭에 올랐습니다.
12. 신랑과 신부는 멋진 禮服을 입고 결혼을 하였습니다.
13. 우울할 때 즐거운 音樂을 들으면 기분이 좋아집니다.
14. 발표를 할 때 圖表를 활용하면 듣는 사람이 이해하기 쉽습니다.
15. 차창 밖에 綠色으로 덮여 있는 산과 들이 펼쳐져 있습니다.
16. 글을 쓸 때 구체적인 事例를 들면 읽는 이가 이해하는 데 도움이 됩니다.

[17~18] 다음 한자의 훈과 음을 쓰세요.

17. 頭

18. 路

[19~20] 다음 한자의 반대 또는 상대되는 한자를 골라 그 번호를 쓰세요.

19. 老: ① 利 ② 大 ③ 童

20. 共: ① 少 ② 等 ③ 名

[21~22] 다음 한자와 뜻이 비슷한 한자를 골라 그 번호를 쓰세요.

21. 綠: ① 靑 ② 白 ③ 金

22. 路: ① 足 ② 道 ③ 各

[23~24] 다음 중 소리는 같으나 뜻이 다른 한자를 골라 그 번호를 쓰세요.

23. 例: ① 利 ② 理 ③ 禮

24. 待: ① 圖 ② 等 ③ 對

[25~26] 다음 □ 안에 알맞은 한자를 보기 에서 찾아 그 번호를 쓰세요.

> 보기
> ① 讀 ② 頭 ③ 綠 ④ 圖

25. 草□同色 : 풀빛과 녹색은 같은 색임.

26. 月光□書 : 달빛으로 책을 읽음.

[27~28] 다음 뜻에 맞는 한자어를 보기 에서 찾아 그 번호를 쓰세요.

> 보기
> ① 童心 ② 讀書 ③ 等級 ④ 禮服

27. 어린아이의 마음.

28. 높고 낮음이나 좋고 나쁨의 정도에 따라 나눈 구별.

[29~30] 다음 한자의 짙게 표시한 획은 몇 번째 쓰는 획인지 보기 에서 찾아 그 번호로 쓰세요.

> 보기
> ① 첫 번째 ② 두 번째 ③ 세 번째
> ④ 네 번째 ⑤ 다섯 번째 ⑥ 여섯 번째
> ⑦ 일곱 번째 ⑧ 여덟 번째 ⑨ 아홉 번째

29. 例

30. 待

쓱 교과서 한자 • 독서 감상문

책을 읽는 것을 讀書(독서)라고 하고, 책을 읽고 자기 생각이나 느낌을 적은 글을 讀書 感想文(독서 감상문) 또는 讀後感(독후감)이라고 해요. 독서 감상문에는 책을 읽게 된 까닭, 책의 내용, 가장 인상 깊었던 부분, 책을 읽고 난 생각이나 느낌 등을 골고루 쓰는 것이 좋아요. 그럼, 「흥부 놀부」를 읽고 독서 감상문에 어떤 내용을 쓸지 정리해 볼까요?

이렇게 독서 감상문에 쓸 내용을 먼저 정리하면 짜임새 있는 독서 감상문을 쓸 수 있답니다. 앞으로는 독서만 하고 끝날 것이 아니라, 독서 감상문을 쓰면서 생각을 더 넓고 깊게 키워 나가 보세요.

4주

1일 李 오얏/성 리 | 明 밝을 명 | 目 눈 목

2일 聞 들을 문 | 美 아름다울 미 | 米 쌀 미

3일 朴 성 박 | 半 반 반 | 反  돌이킬/돌아올 반

4일 班 나눌 반 | 發 필 발 | 放 놓을 방

5일 番 차례 번 | 別 다를/나눌 별 | 病 병 병

李 오얏 리

열매(子)가 많이 열린 나무(木)의 모습으로, **오얏 나무**(자두나무)를 뜻해요.

(부수) 木　(획수) 총 7획

(쓰는 순서) 一 十 十 木 木 李 李

李	
오얏/성 **리**	오얏/성 **리**
오얏/성 **리**	오얏/성 **리**

＊李는 '성 리'로도 쓰이고, 단어의 첫머리에 오면 '이'로 읽어요.

明 밝을 명

낮을 밝히는 해(日)와 밤을 밝히는 달(月)이 모두 밝다는 데서 **밝다**를 뜻해요.

(부수) 日　(획수) 총 8획

(쓰는 순서) 丨 冂 日 日 日 明 明 明

明	
밝을 **명**	밝을 **명**
밝을 **명**	밝을 **명**

目 눈 목

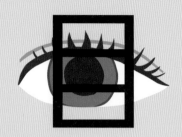

사람의 눈 모양을 나타낸 글자로, 사람의 **눈**을 뜻해요.

(부수) 目　(획수) 총 5획

(쓰는 순서) 丨 冂 冂 月 目

目	
눈 **목**	눈 **목**
눈 **목**	눈 **목**

어휘力 사전

李 花　花: 꽃 화
• **이화**: 자두나무의 꽃.

李 滉　滉: 깊을 황
• **이황**: 조선 시대의 사상가이자 교육자, 정치인.

明 度　度: 법도 도
• **명도**: 색의 밝고 어두운 정도.

文 明　文: 글월 문
• **문명**: 사람이 이루어낸 물질적 · 사회적인 발전.

耳 目　耳: 귀 이
• **이목**: 귀와 눈. 다른 사람들의 관심.

題 目　題: 제목 제
• **제목**: 글, 강연 등에서 내용을 보이거나 대표하기 위해 보이는 이름.

다음 한자의 훈과 음을 찾아 선으로 이으세요.

❶ 李　　　❷ 明　　　❸ 目

눈 목　　　오얏/성 리　　　밝을 명

 다음 밑줄 친 한자어의 음을 찾아 번호를 쓰세요.

① 제목　　② 문명　　③ 이화　　④ 이목

❶ 정원에 **李花** 향기가 은은하게 퍼졌습니다. 　　　　　(　　　)

❷ 책의 **題目**을 먼저 보고 내용을 짐작했습니다. 　　　　(　　　)

❸ 투표 결과에 사람들의 **耳目**이 집중되었습니다. 　　　　(　　　)

❹ **文明**의 발달로 인간의 삶이 편리하고 풍요로워졌습니다. 　(　　　)

교과서 어휘力 다음 내용을 보고 빈칸에 알맞은 한자를 써서 어떤 말에 대한 설명인지 알아보세요.

범인은 의심할 것도 없이 바둑이군!

밝고 희다는 것으로, 의심할 필요가 없이 아주 뚜렷하다는 뜻의 말이에요.

❶ ⬜　⬜　白　白
　밝을 명　밝을 명　흰 백　흰 백

귀, 눈, 입, 코를 아울러 말하거나 이것을 중심으로 한 얼굴 생김새를 뜻하는 말이에요.

❷ 耳　⬜　口　鼻
　귀 이　눈 목　입 구　코 비

聞
들을 문

美
아름다울 미

米
쌀 미

귀(耳)를 문(門)에 대고
밖에서 나는 소리를 듣는다는
데서 **듣다**를 뜻해요.

크고(大) 살찐 양(羊)이
보기 좋다는 데서
아름답다를 뜻해요.

벼의 줄기에 붙어 있는 쌀
낱알의 모습을 나타낸 글자로
쌀을 뜻해요.

(부수) 耳　　(획수) 총 14획

(쓰는
순서) ㅣ ㅣ ㅏ ㅏ ㅏ ㅏ 門 門
門 門 門 門 門 門 聞

聞	
들을 **문**	들을 **문**
들을 **문**	들을 **문**

(부수) 羊　　(획수) 총 9획

(쓰는
순서) 丶 丷 丷 丷 羊 羊 羊
美 美

美	
아름다울 **미**	아름다울 **미**
아름다울 **미**	아름다울 **미**

(부수) 米　　(획수) 총 6획

(쓰는
순서) 丶 丷 丷 半 米 米

米	
쌀 **미**	쌀 **미**
쌀 **미**	쌀 **미**

어휘力 사전

所 聞　所: 바 소

•**소문**: 사람들 사이에 퍼진 말이나 소식.

新 聞　新: 새 신

•**신문**: 새로운 소식. 새로운 소식을 전달
하는 간행물.

美 人　人: 사람 인

•**미인**: 아름다운 사람. 주로 아름다운 여자
를 말함.

美 術　術: 재주 술

•**미술**: 그림이나 조각처럼 눈으로 볼 수
있는 아름다움을 표현하는 예술.

米 色　色: 빛 색

•**미색**: 쌀처럼 노르스름한 색깔.

白 米　白: 흰 백

•**백미**: 벼의 겉껍질, 쌀겨 등을 모두 없
애고 남은 쌀.

😊 다음 한자와 뜻은 다르지만 음이 같은 한자를 찾아 ○표 하세요.

米　　❶ 美 (　　)　　❷ 聞 (　　　)

😄 다음 밑줄 친 단어의 한자를 찾아 번호를 쓰세요.

① 新聞　　② 所聞　　③ 美術　　④ 白米

❶ 미술 시간에 그림을 그렸습니다.　　　　　　　　(　　)

❷ 할아버지께서는 아침마다 신문을 보십니다.　　(　　)

❸ 영은이가 정우를 좋아한다는 소문이 금세 퍼졌습니다.　　(　　)

❹ 우리 집에서는 흑미와 백미를 섞어 지은 밥을 먹습니다.　　(　　)

교과서 어휘力 😆 다음 내용을 보고 빈칸에 알맞은 한자를 써서 쌀의 종류를 알아보세요.

성 박

반 반

돌이킬 반

나무(木) 껍질이 갈라지는(卜) 것과 같은 자연의 모습을 나타낸 글자로 **성씨**를 뜻해요.

물건을 정확하게 반으로 나눈다(八)는 데서 **반**을 뜻해요.

어떤 것을 손으로 뒤집어 엎는다는 데서 **돌이키다**를 뜻해요.

(부수) 木 (획수) 총 6획
(쓰는순서) 一 十 才 木 朴 朴

(부수) 十 (획수) 총 5획
(쓰는순서) ヽ ソ ハ 스 半

(부수) 又 (획수) 총 4획
(쓰는순서) 一 厂 厉 反

성 박	성 박
성 박	성 박

반 반	반 반
반 반	반 반

돌이킬/돌아올 **반**	돌이킬/돌아올 **반**
돌이킬/돌아올 **반**	돌이킬/돌아올 **반**

＊朴은 '순박하다'는 뜻으로도 쓰여요.

＊反은 '돌아올 반'으로도 쓰여요.

어휘力 사전

淳 朴 　淳: 순박할 순
• **순박**: 거짓, 꾸밈이 없이 순수함.

素 朴 　素: 흴 소
• **소박**: 꾸밈이나 거짓이 없고, 화려하지 않고 평범함.

半 年 　年: 해 년
• **반년**: 한 해의 반인 여섯 달.

後 半 　後: 뒤 후
• **후반**: 전체를 반씩 둘로 나눈 것에서 뒤의 절반 부분.

反 感 　感: 느낄 감
• **반감**: 반대하거나 반항하는 감정.

反 對 　對: 대할 대
• **반대**: 어떤 의견이나 생각에 따르지 않고 맞섬. 두 사물이 서로 맞서 있는 상태.

다음 한자 중 음이 같은 한자 두 개를 찾아 ○표 하세요.

❶ 朴　　❷ 反　　❸ 半

（ 　　 ）　　（ 　　 ）　　（ 　　 ）

 다음 밑줄 친 단어의 한자를 찾아 번호를 쓰세요.

① 反感	② 後半	③ 反對	④ 半年

❶ 친구가 이사를 간 지 반년이 지났습니다.　　　　　　　（ 　　 ）

❷ 그 의견에 반대하는 사람은 아무도 없습니다.　　　　　（ 　　 ）

❸ 듣는 사람이 반감을 가지지 않도록 조심해야 합니다.　（ 　　 ）

❹ 선수들은 후반에 들어서면서 체력이 몹시 떨어졌습니다.　（ 　　 ）

교과서 어휘力 다음 내용을 보고 빈칸에 알맞은 한자를 써서 '나'는 누구인지 알아보세요.

班 나눌 반

칼(刂)로 옥(玉)을 두 개로
쪼개는 모습을 나타낸 글자로,
나누다를 뜻해요.

(부수) 王(玉)　　(획수) 총 10획
(쓰는 순서) 一 二 干 王 邪 玎 班 玞 班 班

班	
나눌 **반**	나눌 **반**
나눌 **반**	나눌 **반**

發 필 발

발과 손으로 풀을 헤치고
밟으면서 활(弓)을 쏜다는 데서
피다, 쏘다를 뜻해요.

(부수) 癶　　(획수) 총 12획
(쓰는 순서) フ ㄱ ㄫ ㄫ 癶 癶 癶 癸 癸 發 發 發

發	
필 **발**	필 **발**
필 **발**	필 **발**

放 놓을 방

회초리로 치면서 먼 곳으로
내쫓거나 놓아준다는 데서
놓다를 뜻해요.

(부수) 攵　　(획수) 총 8획
(쓰는 순서) 丶 一 亠 方 方 방 放 放

放	
놓을 **방**	놓을 **방**
놓을 **방**	놓을 **방**

어휘力 사전

班 長　　長: 긴 장
• **반장**: 반을 대표하여 일을 하는 사람.

班 窓 會　　窓: 창 창
　　　　　　　會: 모일 회
• **반창회**: 같은 학교, 같은 반이었던 사람들이 친밀하게 지내려고 만든 모임.

發 生　　生: 날 생
• **발생**: 어떤 일이나 사물이 생겨남.

發 表　　表: 겉 표
• **발표**: 어떤 사실이나 결과 등을 여러 사람에게 널리 드러내어 알리는 것.

放 心　　心: 마음 심
• **방심**: 조심하지 않고 마음을 놓아 버림.

放 學　　學: 배울 학
• **방학**: 학기가 끝나고 정해진 기간 동안 수업을 쉬는 것.

😊 다음 한자의 훈과 음을 찾아 선으로 이으세요.

① 發　　　② 班　　　③ 放

　•　　　　　•　　　　　•

　•　　　　　•　　　　　•

필 발　　　놓을 방　　　나눌 반

😊 다음 밑줄 친 단어의 한자를 찾아 번호를 쓰세요.

① 班長　　② 發表　　③ 放心　　④ 放學

① 겨울 방학이 시작되었습니다.　　　　　　　　　　　　（　　　）

② 형은 합격자 발표를 기다리고 있습니다.　　　　　　　（　　　）

③ 한 표 차이로 지형이가 반장이 되었습니다.　　　　　（　　　）

④ 이기고 있어도 경기가 끝날 때까지 방심하면 안 됩니다.　（　　　）

😈 다음 내용을 보고 빈칸에 알맞은 한자를 써서 사자성어를 완성하세요.

백 번 쏘아 백 번 맞힌다는 뜻으로, 일 또는 계획한 것이 들어맞거나, 하는 일마다 실패하지 않고 잘 된다는 말이에요.

百		百	中
일백 **백**	필 **발**	일백 **백**	가운데 **중**

한 번 건드리기만 해도 폭발할 정도의 위급한 상태로, 조그마한 일이 실마리가 되어 큰일이 벌어질 것같은 상태를 말해요.

② 一 觸 即

한 **일**	닿을 **촉**	곧 **즉**	필 **발**

番
차례 번

別
다를 별

病
병 병

농부가 논밭에 씨앗을 뿌리며
남긴 발자국 모양이 차례로
나 있다는 데서, **차례**를 뜻해요.

칼(刂)로 고기의 살과 뼈를
분리시키는 모습으로
다르다, 나누다를 뜻해요.

병에 걸린 사람이 침대 위에
누워 땀을 흘리는
모습으로 **병**을 뜻해요.

(부수) 田 (획수) 총 12획

(쓰는 순서) 一 ㇒ ㇒ ㄥ ㄥ 平 乎 釆 釆 番 番 番

番	
차례 **번**	차례 **번**
차례 **번**	차례 **번**

(부수) 刂(刀) (획수) 총 7획

(쓰는 순서) 丨 口 口 号 另 別 別

別	
다를/나눌 **별**	다를/나눌 **별**
다를/나눌 **별**	다를/나눌 **별**

＊別은 '나눌 별'로도 쓰여요.

(부수) 疒 (획수) 총 10획

(쓰는 순서) 丶 一 广 广 广 疒 疒 病 病 病

病	
병 **병**	병 **병**
병 **병**	병 **병**

어휘力 사전

番 號 號: 이름 호
•**번호**: 차례를 나타내 붙이는 숫자.

番 地 地: 땅 지
•**번지**: 땅을 일정한 기준에 따라 나누고 붙여 놓은 번호.

特 別 特: 특별할 특
•**특별**: 수준이나 질이 보통과 아주 다름.

區 別 區: 구분할 구
•**구별**: 성질이나 종류에 따라 차이가 남. 성질이나 종류에 따라 갈라놓음.

問 病 問: 물을 문
•**문병**: 아픈 사람을 찾아가 위로함.

重 病 重: 무거울 중
•**중병**: 목숨이 위험할 만큼 아주 심각한 병.

😊 다음 한자와 뜻이 비슷한 한자를 찾아 ○표 하세요.

區	❶ 別	❷ 病	❸ 番
구분할 **구**	(　)	(　)	(　)

😊 다음 밑줄 친 한자의 음을 찾아 번호를 쓰세요.

> ① 번지　　　② 구별　　　③ 문병　　　④ 특별

❶ 저는 <u>特別</u>한 손재주를 가지고 있습니다.　　　　　　(　)

❷ 병원에 입원한 친구의 <u>問病</u>을 갔습니다.　　　　　　(　)

❸ 일란성 쌍둥이 자매를 <u>區別</u>하는 것은 어렵습니다.　　(　)

❹ 이 편지에는 받는 곳의 <u>番地</u>가 적혀 있지 않습니다.　(　)

교과서 **어휘力** 😈 다음 내용을 보고 ⬤에 공통으로 들어갈 한자를 쓰세요.

야외 활동을 할 때 주의할 점

더러운 손으로 눈을 만지면 눈 ⬤ 에
걸릴 수 있어요.

햇볕이 강한 날에 야외 활동을 하면
일사 ⬤ 에 걸릴 수 있어요.

병 **병**

한자의 훈과 음을 쓰면서 4주에 배운 내용을 복습하세요.

한자	훈	음
目	눈	**1**
半	**2**	반
明	**3**	명
別	다를/나눌	**4**
反	돌이킬/돌아올	**5**
發	필	**6**
米	**7**	미
美	아름다울	**8**
放	**9**	방
朴	성	**10**
李	오얏	**11**
聞	**12**	문
番	차례	**13**
病	**14**	병
班	나눌	**15**

[1~16] 다음 밑줄 친 한자어의 음을 쓰세요.

 보기

漢字 → 한자

1. 이 책의 <u>題目</u>은 무엇입니까?

2. <u>放心</u>하면 실수할 수 있습니다.

3. 키 순서대로 <u>番號</u>를 정했습니다.

4. 옆 반과 <u>合班</u>하여 수업했습니다.

5. 세계 4대 <u>文明</u>에 대해 배웠습니다.

6. 당첨자 <u>發表</u>를 기다리고 있습니다.

7. 소금과 설탕을 <u>區別</u>해 보았습니다.

8. 학교는 집의 <u>反對</u> 방향에 있습니다.

9. 연우는 못하는 게 없는 팔방<u>美人</u>입니다.

10. <u>白米</u>와 잡곡을 섞어서 밥을 지었습니다.

11. <u>美術</u> 활동을 하면 창의력이 높아집니다.

12. 선수들은 경기 <u>後半</u>에 더 많은 점수를 냈습니다.

13. <u>發明</u>가 에디슨은 어려서부터 호기심이 많았습니다.

14. 의사는 진찰한 결과 <u>病名</u>이 장염이라고 말했습니다.

15. 우리 학교에서 열린 행사에 대한 기사가 <u>新聞</u>에 났습니다.

16. 그는 이기적으로 행동해서 사람들로부터 <u>反感</u>을 사게 되었습니다.

[17~18] 다음 한자의 훈과 음을 쓰세요.

17. 聞

18. 發

[19~20] 다음 한자의 반대 또는 상대되는 한자를 골라 그 번호를 쓰세요.

19. 正 : ① 放 ② 反 ③ 別

20. 暗 어두울 암 : ① 聞 ② 米 ③ 明

[21~22] 다음 한자와 뜻이 비슷한 한자를 골라 그 번호를 쓰세요.

21. 分 나눌 분 : ① 班 ② 李 ③ 目

22. 第 차례 제 : ① 朴 ② 病 ③ 番

[23~24] 다음 중 소리는 같으나 뜻이 다른 한자를 골라 그 번호를 쓰세요.

23. 半 : ① 反 ② 聞 ③ 番

24. 米 : ① 班 ② 美 ③ 李

[25~26] 다음 □ 안에 알맞은 한자를 보기 에서 찾아 그 번호를 쓰세요.

보기
① 美　② 發　③ 明　④ 反

25. 八方□人 : 어느 모로 보나 아름다운 사람. 또는 여러 방면에 능통한 사람.

26. □見萬里 : 만 리 밖의 일을 환하게 알고 있음. 관찰력과 판단력이 매우 정확함.

[27~28] 다음 뜻에 맞는 한자어를 보기 에서 찾아 그 번호를 쓰세요.

보기
① 番地　② 問病　③ 放學　④ 所聞

27. 사람들 사이에 퍼진 말이나 소식.

28. 땅을 일정한 기준에 따라 나누고 붙여 놓은 번호.

[29~30] 다음 한자의 짙게 표시한 획은 몇 번째 쓰는 획인지 보기 에서 찾아 그 번호를 쓰세요.

보기
① 첫 번째　② 두 번째　③ 세 번째
④ 네 번째　⑤ 다섯 번째　⑥ 여섯 번째
⑦ 일곱 번째　⑧ 여덟 번째

29. 別

30. 明

반대되는 말

뜻이 서로 반대되는 관계에 있는 말을 反意語(반의어)라고 해요. 반의어에는 어떤 낱말들이 있는지 함께 살펴볼까요?

반의어는 서로 반대되는 뜻을 가지고 있지만, 반드시 한 가지 같은 점이 있어요. '크다'와 '작다'는 뜻은 서로 반대이지만, '크기'를 나타내는 말이라는 점이 같아요. '길다'와 '짧다'도 뜻은 서로 반대이지만 '길이'를 나타내는 말이라는 점이 같지요. 반의어의 종류와 반의어가 되기 위한 조건을 꼭 기억해요!

5주

1일
服
옷 복

本
근본 본

部
떼 부

2일
分
나눌 분

社
모일 사

使
하여금/부릴 사

3일
死
죽을 사

書
글 서

席
자리 석

4일
石
돌 석

線
줄 선

雪
눈 설

5일
成
이룰 성

省
살필 성/덜 생

消
사라질 소

服 옷 복

몸을 다스려 보호한다는 것을 나타낸 글자로, **옷**을 뜻해요.

(부수) 月   (획수) 총 8획

(쓰는 순서) ﾉ 刀 刀 月 月 刖 朋 服 服

服	
옷 복	옷 복
옷 복	옷 복

本 근본 본

나무(木)를 지탱하는 뿌리를 나타낸 글자로, **근본**을 뜻해요.

(부수) 木   (획수) 총 5획

(쓰는 순서) 一 十 才 木 本

本	
근본 본	근본 본
근본 본	근본 본

部 떼 부

나라를 여러 사람이 모여 사는 마을로 나누어 다스린다는 데서 **떼**(무리)를 뜻해요.

(부수) 阝(邑)   (획수) 총 11획

(쓰는 순서) ﾍ ﾑ ﾗ ﾜ 立 音 音 音 咅 部 部

部	
떼 부	떼 부
떼 부	떼 부

어휘力 사전

韓 服   韓: 한국/나라 한
• **한복**: 한국 사람들이 입는 한국의 전통적인 옷.

校 服   校: 학교 교
• **교복**: 각 학교에서 학생들이 입도록 특별히 정한 옷.

根 本   根: 뿌리 근
• **근본**: 어떤 것의 본질이나 바탕, 기본이 되는 것.

本 色   色: 빛 색
• **본색**: 원래의 빛깔이나 생김새. 원래의 특색이나 정체.

部 分   分: 나눌 분
• **부분**: 전체를 여러 개로 나눈 것 가운데 하나.

部 下   下: 아래 하
• **부하**: 어떤 사람보다 직책이 낮아 그 사람의 명령에 따르는 사람.

다음 사진과 관련 있는 한자를 찾아 ○표 하세요.

❶ 服　❷ 本

（　　）　（　　）

다음 밑줄 친 단어의 한자를 찾아 번호를 쓰세요.

> ① 韓服　② 部分　③ 本色　④ 校服

❶ 쥐는 궁지에 몰리자 본색을 드러냈습니다.　（　　）

❷ 동화책의 시작 부분이 매우 흥미로웠습니다.　（　　）

❸ 설날에 한복을 입고 할아버지께 세배를 드렸습니다.　（　　）

❹ 중학교에 다니는 오빠가 교복을 입고 학교에 갔습니다.　（　　）

교과서 어휘力　다음 빈칸에 알맞은 한자를 써서 옛날과 오늘날의 결혼식 모습을 알아보세요.

옛날

옛날에는 결혼식에서 신랑과 신부가
한　을 입었어요.

❶ 韓
한국/나라 한　옷 복

오늘날

오늘날은 결혼식에서 신랑은 양　을,
신부는 드레스를 주로 입어요.

❷ 洋
바다 양　옷 복

分
나눌 분

칼(刀)로 물건을 잘라
반으로 나눈다(八)는 데서
나누다를 뜻해요.

社
모일 사

땅(土)의 신에게 제사를
지내기 위해 사람들이 모인다는
데서 **모이다**를 뜻해요.

使
하여금 사

윗사람이 아랫사람에게 일을
시킨다는 데서 **하여금**(시키어),
부리다를 뜻해요.

(부수) 刀　　(획수) 총 4획
(쓰는 순서) ノ 八 今 分

分	分
나눌 분	나눌 분
나눌 분	나눌 분

(부수) 示　　(획수) 총 8획
(쓰는 순서) 一 二 亍 示 示 示 社
社

社	社
모일 사	모일 사
모일 사	모일 사

(부수) 亻(人)　　(획수) 총 8획
(쓰는 순서) ノ 亻 亻 亻 仴 佰 使
使

使	使
하여금/부릴 사	하여금/부릴 사
하여금/부릴 사	하여금/부릴 사

*使은 '부릴 사'로도 쓰여요.

어휘力 사전

分 野　野: 들 야
• **분야**: 여러 갈래로 나누어진 범위나 부분.

氣 分　氣: 기운 기
• **기분**: 좋고 나쁨 등의 감정을 느끼는 것.
주위를 둘러싸고 있는 상황이나 분위기.

社 交　交: 사귈 교
• **사교**: 여러 사람과 어울리고 사귀는 것.

社 會　會: 모일 회
• **사회**: 한곳에서 함께 사는 사람들의 집단. 생활 정도나 직업 등이 비슷한 집단.

使 命　命: 목숨 명
• **사명**: 맡겨진 일. 맡겨진 책임.

使 用　用: 쓸 용
• **사용**: 무엇을 필요한 일이나 기능에 맞게 씀. 사람을 어떤 일을 하는 데 부려 씀.

다음 한자 중 음이 다른 한자 한 개를 찾아 ○표 하세요.

❶ 分　　　❷ 社　　　❸ 使

(　　)　　(　　)　　(　　)

 다음 밑줄 친 한자의 음을 찾아 번호를 쓰세요.

① 사회　　　② 분야　　　③ 기분　　　④ 사용

❶ 삼촌은 컴퓨터 分野의 전문가입니다. 　　　　　　　　(　　)

❷ 일회용품을 많이 使用하면 환경이 오염됩니다. 　　　(　　)

❸ 과학 기술의 발달로 우리 社會는 급격하게 변화했습니다. (　　)

❹ 따뜻한 햇살을 맞으며 공원을 산책하니 氣分이 참 좋습니다. (　　)

교과서 어휘力 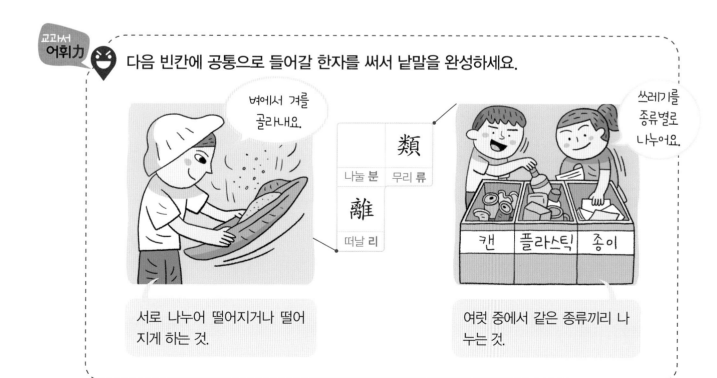 다음 빈칸에 공통으로 들어갈 한자를 써서 낱말을 완성하세요.

벼에서 겨를 골라내요.

類
나눌 분 ｜ 무리 류

離
떠날 리

쓰레기를 종류별로 나누어요.

캔　플라스틱　종이

서로 나누어 떨어지거나 떨어지게 하는 것.

여럿 중에서 같은 종류끼리 나누는 것.

死 죽을 사

죽은 사람과 그 사람을 보며
슬퍼하는 사람의 모습으로,
죽다를 뜻해요.

書 글 서

성인의 말씀(日)을 붓으로
적은 것이라는 데서
글을 뜻해요.

席 자리 석

여러 사람이 깔고 앉는
천 조각(巾)의 모양으로
자리를 뜻해요.

(부수) 歹 　(획수) 총 6획

(쓰는 순서) 一 厂 歹 歹 死 死

| 죽을 사 | 죽을 사 |
| 죽을 사 | 죽을 사 |

(부수) 曰 　(획수) 총 10획

(쓰는 순서) フ ⼅ ⺻ ⺻ 聿 聿 書 書 書 書

| 글 서 | 글 서 |
| 글 서 | 글 서 |

(부수) 巾 　(획수) 총 10획

(쓰는 순서) 丶 亠 广 广 庐 庐 庐 庐 庐 席

| 자리 석 | 자리 석 |
| 자리 석 | 자리 석 |

어휘力 사전

死 體　體: 몸 체
• **사체**: 사람이나 동물의 죽은 몸뚱이.

生 死　生: 날 생
• **생사**: 삶과 죽음.

讀 書　讀: 읽을 독
• **독서**: 책을 읽음.

敎 科 書　敎: 가르칠 교
科: 과목 과
• **교과서**: 어떤 과목을 가르치기 위한 책.

出 席　出: 날 출
• **출석**: 수업이나 모임 등에 참석함.

立 席　立: 설 립(입)
• **입석**: 기차 등에서 지정된 좌석이 없어
서 있어야 하는 자리.

다음 한자와 뜻은 다르지만 음이 같은 한자를 찾아 ○표 하세요.

| 使 | ❶ 書 | ❷ 席 | ❸ 死 |
| 하여금 **사** | ( ) | ( ) | ( ) |

 다음 밑줄 친 단어의 한자를 찾아 번호를 쓰세요.

> ① 出席　　　② 生死　　　③ 讀書　　　④ 教科書

❶ 가을은 독서하기 좋은 계절입니다. 　　　　　　　　　(　)

❷ 이것은 우리에게는 생사가 걸린 문제입니다. 　　　　(　)

❸ 수업에 빠짐없이 출석하여 개근상을 받았습니다. 　　(　)

❹ 수업 시간에 교과서를 보며 열심히 공부했습니다. 　(　)

교과서 어휘力 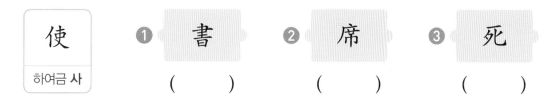 다음 빈칸에 알맞은 한자를 써서 사자성어를 완성하세요.

희고 고운 얼굴로 날마다 글만 읽고, 세상일에는 전혀 경험이 없는 사람을 뜻해요.

❶ | 白 | 面 | | 生 |
| 흰 백 | 낯 면 | 글 서 | 날 생 |

아홉 번 죽을 뻔하다 한 번 살아난다는 데서 죽을 뻔한 상황을 여러 번 넘기고 겨우 살아남은 상황을 뜻해요.

❷ | 九 | | 一 | 生 |
| 아홉 구 | 죽을 사 | 한 일 | 날 생 |

石	線	雪
돌 석	줄 선	눈 설

언덕(厂) 밑에 있는 돌(口)의 모양을 나타낸 글자로, **돌**을 뜻해요.

물이 실(糸)처럼 길게 흘러내려 물줄기를 이룬다는 데서 **줄**을 뜻해요.

하늘에서 비처럼 내리는 눈을 빗자루로 쓸고 있다는 데서 **눈**을 뜻해요.

(부수) 石　　(획수) 총 5획

(쓰는 순서) 一 ナ 石 石 石

돌 석	돌 석
돌 석	돌 석

(부수) 糸　　(획수) 총 15획

(쓰는 순서) 〱 〰 纟 纟 糸 糸 糸 糹 絇 紵 絈 綧 綧 線 線

줄 선	줄 선
줄 선	줄 선

(부수) 雨　　(획수) 총 11획

(쓰는 순서) 一 ㄇ 广 际 雨 雨 雨 雪 雪 雪 雪

눈 설	눈 설
눈 설	눈 설

어휘力 사전

石 工　工: 장인 공
• **석공**: 돌을 다루어 물건을 만드는 사람.

木 石　木: 나무 목
• **목석**: 나무와 돌. 아무런 감정도 없는 사람을 비유적으로 이르는 말.

線 路　路: 길 로
• **선로**: 기차 등이 다니도록 깔아 놓은 길.

水 平 線　水: 물 수
平: 평평할 평
• **수평선**: 바다와 하늘이 맞닿아 경계를 이루는 선.

白 雪　白: 흰 백
• **백설**: 하얀 눈.

大 雪　大: 큰 대
• **대설**: 아주 많이 오는 눈. 이십사절기의 하나.

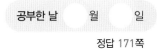

😊 다음 한자의 음을 쓰세요.

❶ 石 (   )   ❷ 線 (   )   ❸ 雪 (   )

😊 다음 밑줄 친 한자의 음을 찾아 번호를 쓰세요.

| ① 석공 | ② 대설 | ③ 선로 | ④ 수평선 |

❶ 기차가 <u>線路</u> 위를 달립니다.   （   ）

❷ <u>水平線</u> 위로 붉은 태양이 떠올랐습니다.   （   ）

❸ 전국에 <u>大雪</u>이 내려 도로가 꽉 막혔습니다.   （   ）

❹ 이 석탑을 보면 <u>石工</u>의 정성을 느낄 수 있습니다.   （   ）

교과서 어휘力 😈 빈칸에 알맞은 한자를 써서 친구가 그린 선의 종류를 알아보세요.

成 이룰 성

창과 도끼로 적들을 물리쳐
원하는 것을 이룬다는 데서
이루다를 뜻해요.

省 살필 성

적은(少) 것도 눈(目)으로
자세히 본다는 데서
살피다를 뜻해요.

消 사라질 소

물(氵)이 점점 줄어드는 것을
나타낸 글자로,
사라지다를 뜻해요.

(부수) 戈　　(획수) 총 7획
(쓰는 순서) 丿 厂 F F 反 成 成 成

成 이룰 성	이룰 성
이룰 성	이룰 성

(부수) 目　　(획수) 총 9획
(쓰는 순서) 丿 ⺊ ⺌ 少 少 省 省 省 省

省 살필 성/덜 생	살필 성/덜 생
살필 성/덜 생	살필 성/덜 생

*省은 '덜 생'으로도 쓰여요.

(부수) 氵(水)　　(획수) 총 10획
(쓰는 순서) 丶 丶 氵 氵 氵 氵 沪 消 消 消

消 사라질 소	사라질 소
사라질 소	사라질 소

어휘力 사전

成 功　功: 공 공
•**성공**: 바라거나 목표하는 것을 이룸.

成 人　人: 사람 인
•**성인**: 자라서 어른이 된 사람. 만 20세
가 넘은 사람.

自 省　自: 스스로 자
•**자성**: 자신의 태도나 행동을 반성함.

反 省　反: 돌이킬 반
•**반성**: 자신의 말이나 행동에 잘못이나
부족함이 없는지 돌이켜 봄.

消 火　火: 불 화
•**소화**: 불을 끔.

消 失　失: 잃을 실
•**소실**: 사라져 없어지거나 그렇게 잃어
버림.

😊 다음 한자 중 음이 같은 한자 두 개를 찾아 ○표 하세요.

❶ 成   ❷ 省   ❸ 消

(   )   (   )   (   )

😊 다음 밑줄 친 단어의 한자를 찾아 번호를 쓰세요.

① 消失   ② 反省   ③ 成功   ④ 成人

❶ 성인에게는 투표할 권리가 주어집니다.   (   )

❷ 박사는 새로운 기계를 발명하는 데 성공했습니다.   (   )

❸ 문화재 소실을 막기 위해 여러 단체가 힘을 모았습니다. (   )

❹ 지수는 친구와 다투고 나서 자신의 잘못을 반성했습니다. (   )

교과서 어휘力 😈 다음 내용을 보고 빈칸에 알맞은 한자를 쓰세요.

우리는 모두 빛을 이용해서 영양분을 스스로 만들어요.

식물은 음식을 먹지 않아도 햇빛을 이용해서 살아가는 데 필요한 양분을 스스로 만들 수 있어요. 이렇게 식물이 빛을 이용하여 이산화탄소와 물을 재료로 필요한 영양분을 만드는 과정을 말해요.

光	合	
빛 광	합할 합	이룰 성

한자의 훈과 음을 쓰면서 5주에 배운 내용을 복습하세요.

한자	훈	음
本	①	본
分	나눌	②
死	죽을	③
書	④	서
石	⑤	석
成	이룰	⑥
省	살필/덜	⑦
消	사라질	⑧
部	때	⑨
社	⑩	사
線	줄	⑪
雪	⑫	설
使	하여금/부릴	⑬
服	⑭	복
席	⑮	석

6급 기출 문제

[1~16] 다음 밑줄 친 한자어의 음을 쓰세요.

보기
漢字 → 한자

1. 동생은 성격이 <u>社交</u>적입니다.
2. 도서관에 가서 <u>讀書</u>를 했습니다.
3. 죄수가 <u>反省</u>의 눈물을 흘렸습니다.
4. <u>韓服</u>은 우리나라의 전통 옷입니다.
5. 에어컨 <u>使用</u> 방법을 알아보았습니다.
6. <u>水平線</u> 위로 뭉게구름이 피어오릅니다.
7. 기차가 <u>線路</u>를 벗어나는 사고가 났습니다.
8. 그녀는 <u>成功</u>을 위해 열심히 노력했습니다.
9. 장군은 <u>部下</u>들에게 명령을 내렸습니다.
10. 중학교에 입학하여 <u>校服</u>을 맞추었습니다.
11. 임진왜란 때 많은 문화재가 <u>消失</u>되었습니다.
12. 소방관들은 신속하게 <u>消火</u> 작업을 끝냈습니다.
13. <u>成人</u>이 되면 대통령 선거 때 투표를 할 수 있습니다.
14. 의사는 병의 <u>根本</u> 원인을 해결하기 위해 노력했습니다.
15. 선생님께 배운 내용 중 이해가 되지 않는 <u>部分</u>을 질문했습니다.
16. 산사태 발생 이후 마을 사람들의 <u>生死</u>를 정확히 알 수 없습니다.

[17~18] 다음 한자의 훈과 음을 쓰세요.

17. 席

18. 社

[19~20] 다음 한자의 반대 또는 상대되는 한자를 골라 그 번호를 쓰세요.

19. 活: ① 分 ② 死 ③ 雪

20. 合: ① 分 ② 線 ③ 石

[21~22] 다음 한자와 뜻이 비슷한 한자를 골라 그 번호를 쓰세요.

21. 衣: ① 本 ② 席 ③ 服

22. 文: ① 光 ② 書 ③ 多

[23~24] 다음 중 소리는 같으나 뜻이 다른 한자를 골라 그 번호를 쓰세요.

23. 社: ① 成 ② 使 ③ 分

24. 石: ① 席 ② 省 ③ 雪

[25~26] 다음 □ 안에 알맞은 한자를 보기에서 찾아 그 번호를 쓰세요.

보기
① 本 ② 省 ③ 部 ④ 死

25. 生□苦樂: 삶과 죽음, 괴로움과 즐거움을 통틀어 이르는 말.

26. 人事不□: 내 몸에 벌어지는 일을 모를 만큼 정신을 잃은 상태.

[27~28] 다음 뜻에 맞는 한자어를 보기에서 찾아 그 번호를 쓰세요.

보기
① 成人 ② 出席 ③ 自省 ④ 區分

27. 수업이나 모임 등에 참석함.

28. 어떤 기준에 따라 전체를 몇 개의 부분으로 나눔.

[29~30] 다음 한자의 짙게 표시한 획은 몇 번째 쓰는 획인지 보기에서 찾아 그 번호를 쓰세요.

보기
① 첫 번째   ② 두 번째   ③ 세 번째
④ 네 번째   ⑤ 다섯 번째 ⑥ 여섯 번째

29. 本

30. 死

쏙 교과서 한자 • 세계 여러 나라의 전통 복장

우리나라의 전통 服裝(복장)은 韓服(한복)이에요. 다른 나라에도 우리나라의 韓服(한복)과 같은 전통 옷이 있을까요? 세계 여러 나라의 전통 服裝(복장)을 함께 살펴보아요.

덥고 건조한 나라

뜨거운 햇볕을 막으려고 긴 옷을 입고, 머리에는 천을 둘러 감아요.

덥고 비가 많이 내리는 나라

바람이 잘 통하는 긴 옷을 입고, 챙이 넓은 모자를 써서 햇빛, 비를 막아요.

춥고 눈이 많이 오는 나라

순록이나 물범 같은 동물의 털과 가죽으로 만든 옷을 입고, 따뜻한 신발을 신어요.

낮과 밤의 기온 차가 큰 나라

낮에는 뜨거운 햇볕을 막고, 밤에는 추위를 견디려고 망토와 같은 긴 옷을 걸치고 모자를 써요.

이와 같이 세계 여러 나라 사람들의 전통 복장은 매우 다양해요. 그것은 나라마다 날씨나 강수량과 같은 자연환경이 다르고, 종교나 풍습과 같이 사람들이 만든 환경도 서로 다르기 때문이에요.

6주

1일 速
빠를 속

孫
손자 손

樹
나무 수

2일 術
재주 술

習
익힐 습

勝
이길 승

3일 始
비로소 시

式
법 식

身
몸 신

4일 神
귀신 신

信
믿을 신

新
새 신

5일 失
잃을 실

愛
사랑 애

夜
밤 야

速
빠를 속

끈을 단단히 묶고 빠르게
걸어가는 모습을 나타낸
글자로, **빠르다**를 뜻해요.

孫
손자 손

자손(子)이 계속
이어지는 것을 나타낸
글자로, **손자**를 뜻해요.

樹
나무 수

나무(木)를 손(寸)으로 세워
심는 것을 나타낸 글자로,
나무를 뜻해요.

（부수）辶(辵)　（획수）총 11획

（쓰는 순서）一 一 一 亠 亓 亓 亩 東 凍 凍 速

速	
빠를 **속**	빠를 **속**
빠를 **속**	빠를 **속**

（부수）子　（획수）총 10획

（쓰는 순서）一 了 子 孑 孫 孫 孫 孫 孫 孫

孫	
손자 **손**	손자 **손**
손자 **손**	손자 **손**

（부수）木　（획수）총 16획

（쓰는 순서）一 十 十 才 木 杧 杧 桔 柿 柿 梼 梼 槿 樹 樹

樹	
나무 **수**	나무 **수**
나무 **수**	나무 **수**

어휘力 사전

速 力　力: 힘 력
• **속력**: 차, 배, 비행기 등의 빠른 정도.

速 度　度: 법도 도
• **속도**: 어떤 물체가 나아가는 빠르기.

孫 女　女: 계집 녀
• **손녀**: 아들의 딸. 딸의 딸.

子 孫　子: 아들 자
• **자손**: 자녀와 손주. 후손이나 후대.

樹 木　木: 나무 목
• **수목**: 살아 있는 나무.

果 樹 園　果: 실과 과
　　　　園: 동산 원
• **과수원**: 과실나무를 심은 밭.

😊 다음 한자의 훈과 음을 찾아 선으로 이으세요.

❶ 樹　　　❷ 速　　　❸ 孫

·　　　　　·　　　　　·

·　　　　　·　　　　　·

손자 손　　　나무 수　　　빠를 속

😊 다음 밑줄 친 한자의 음을 찾아 번호를 쓰세요.

| ① 자손 | ② 속도 | ③ 과수원 | ④ 손녀 |

❶ 그분은 국가 유공자의 <u>子孫</u>입니다.　　　　　（　　）

❷ 할머니가 <u>孫女</u>의 울음을 달래 주었습니다.　　（　　）

❸ 버스는 횡단보도 앞에서 <u>速度</u>를 줄였습니다.　（　　）

❹ 이번 태풍으로 우리 지역 <u>果樹園</u>이 피해를 입었습니다.　（　　）

교과서 어휘力 😈 다음 빈칸에 공통으로 들어갈 한자를 쓰세요.

잎의 모양에 따른 나무의 종류

잎이 바늘처럼 가늘고 길며 뾰족해요.

잎이 손바닥처럼 넓고 커요.

❶ 針 葉 　　바늘 침　잎 엽　나무 수

❷ 闊 葉 　　넓을 활　잎 엽　나무 수

術 재주 술

손이 빠르게 움직이는
모습을 나타낸 글자로,
재주, 꾀를 뜻해요.

(부수) 行   (획수) 총 11획

(쓰는 순서) 丿 亻 彳 彳 衤 秆 秫 秫 秫 術 術

術 재주 **술**	재주 **술**
재주 **술**	재주 **술**

習 익힐 습

어린 새가 스스로 날기 위해
연습하는 모습을 나타낸
글자로, **익히다**를 뜻해요.

(부수) 羽   (획수) 총 11획

(쓰는 순서) 丿 刁 刃 羽 羽 羽 羽 習 習 習 習

習 익힐 **습**	익힐 **습**
익힐 **습**	익힐 **습**

勝 이길 승

왕이 힘(力)을 발휘해
싸움에서 이기는 것을 나타낸
글자로, **이기다**를 뜻해요.

(부수) 力   (획수) 총 12획

(쓰는 순서) 丿 刀 月 月 月 朊 朕 腃 脵 脒 勝 勝

勝 이길 **승**	이길 **승**
이길 **승**	이길 **승**

어휘力 사전

話 術 話: 말씀 화
• **화술**: 말을 잘하는 슬기와 능력.

手 術 手: 손 수
• **수술**: 병을 고치기 위해 몸의 일부를 가르고 잘라 내거나 붙이고 꿰매는 일.

學 習 學: 배울 학
• **학습**: 지식이나 기술을 배우고 익히는 일.

自 習 自: 스스로 자
• **자습**: 선생님의 가르침 없이 학생들이 혼자서 공부하는 것.

勝 利 利: 이할 리
• **승리**: 전쟁, 경기에서 싸워서 이기는 것.

全 勝 全: 온전 전
• **전승**: 경기나 전쟁 등에서 한 번도 지지 않고 모두 이김.

😊 다음 한자의 음을 쓰세요.

❶ 術 　　　❷ 習 　　　❸ 勝

（　　　） 　　　（　　　） 　　　（　　　）

😊 다음 밑줄 친 단어의 한자를 찾아 번호를 쓰세요.

① 手術 　　② 勝利 　　③ 自習 　　④ 學習

❶ 친구가 다리를 다쳐 수술을 하게 되었습니다. 　　（　　　）

❷ 우리는 선생님이 안 계신 동안 자습을 했습니다. 　　（　　　）

❸ 오늘은 과학관으로 현장 체험 학습을 가는 날입니다. 　　（　　　）

❹ 이순신 장군은 배 열두 척으로 전쟁에서 승리했습니다. 　　（　　　）

교과서
어휘力 😈 다음 빈칸에 알맞은 한자를 써서 신문 기사를 완성하세요.

스포츠 신문

세 차례에 걸쳐 월드컵 경기장에서 열린 평가전에서 한국 축구 대표 팀은

놀라운 ❶ | 戰 | 　　|을 선보이며 ❷ | 全 | 　　|을 거두었습니다.
　　　　싸울 전 | 재주 술 　　　　　　온전 전 | 이길 승

始
비로소 시

인간은 여인으로부터 태어나
시작한다는 것을 나타낸 글자로,
시작, **비로소**를 뜻해요.

式
법식

장인(工)이 무엇을 만들 때에는
일정한 방식이 있다는 데서
법, **방법**을 뜻해요.

身
몸 신

아기를 임신하여 배가 볼록하게
나온 여인의 모습을 나타낸
글자로, **몸**을 뜻해요.

(부수) 女 　(획수) 총 8획

(쓰는 순서) ㄑ ㄑ 女 女 女 女 始
始

始	
비로소 시	비로소 시
비로소 시	비로소 시

(부수) 弋 　(획수) 총 6획

(쓰는 순서) 一 二 テ 王 式 式

式	
법 식	법 식
법 식	법 식

(부수) 身 　(획수) 총 7획

(쓰는 순서) ' ʼ ⺆ ⺆ 自 身 身

身	
몸 신	몸 신
몸 신	몸 신

어휘力 사전

始 作 作: 지을 작
• **시작**: 어떤 일이나 행동을 처음으로 함.

始 動 動: 움직일 동
• **시동**: 처음으로 움직이기 시작함. 기계
등의 발동이 걸리기 시작함.

入 學 式 入: 들 입
學: 배울 학
• **입학식**: 입학할 때 신입생을 모아 하는
의식.

公 式 公: 공평할 공
• **공식**: 국가나 사회에 의해 정해진 형식
이나 방식. 계산 방법을 나타낸 식.

身 體 體: 몸 체
• **신체**: 사람의 몸.

代 身 代: 대신할 대
• **대신**: 어떤 대상과 역할이나 책임을 바
꾸어서 새로 맡음.

😊 다음 한자와 뜻은 다르지만 음이 같은 한자를 찾아 ◯표 하세요.

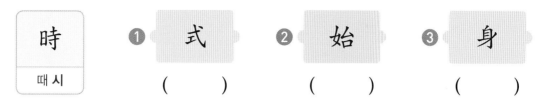

| 時
때 시 | ❶ 式
( ) | ❷ 始
( ) | ❸ 身
( ) |

😄 다음 밑줄 친 한자의 음을 찾아 번호를 쓰세요.

① 공식   ② 대신   ③ 신체   ④ 시동

❶ 오늘 아침에는 밥 **代身** 빵을 먹었습니다.   (   )

❷ 외교부는 빠르게 **公式** 입장을 발표했습니다.   (   )

❸ 기사는 버스의 **始動**을 걸고 떠날 준비를 했습니다.   (   )

❹ 불량 식품을 자주 먹으면 **身體**에 이상이 생길 수 있습니다. (   )

교과서 어휘力 😈 다음 내용을 보고 빈칸에 공통으로 들어갈 한자를 쓰세요.

우리 학교에 입학한 것을 환영합니다.

○○학교 입학식

| 入 | 學 | |
| 들 입 | 배울 학 | 법 식 |

한 학교에 정식으로 입학한 것을 기념하는 의식.

| 卒 |
| 마칠 졸 |
| 業 |
| 업 업 |

△○ 초등학교 졸업식

졸업을 축하해!

학교에서 일정한 과정을 마친 사람에게 졸업장을 주는 의식.

神 귀신 신

하늘의 신(申)에게 제사를
지내는 모습을 나타낸 글자로,
귀신(신)을 뜻해요.

(부수) 示　　(획수) 총 10획

(쓰는 순서) `一 二 亍 亓 示 示 剂 和 和 神`

神	
귀신 **신**	귀신 **신**
귀신 **신**	귀신 **신**

信 믿을 신

사람(亻)이 하는 말(言)에는
거짓이 없어야 한다는 데서
믿다를 뜻해요.

(부수) 亻(人)　　(획수) 총 9획

(쓰는 순서) `丿 亻 仁 仁 信 信 信 信`

信	
믿을 **신**	믿을 **신**
믿을 **신**	믿을 **신**

新 새 신

나무(木)를 도끼로(斤) 잘라
새로운 물건을 만든다는 데서
새롭다를 뜻해요.

(부수) 斤　　(획수) 총 13획

(쓰는 순서) `丶 亠 六 立 立 후 후 辛 亲 亲 新 新 新 新`

新	
새 **신**	새 **신**
새 **신**	새 **신**

어휘力 사전

神 話　話: 말씀 화

• **신화**: 신과 같은 존재에 대한 신비롭고
환상적인 이야기. 신비로운 이야기.

失 神　失: 잃을 실

• **실신**: 병이나 충격 등을 받아서 정신을
잃음.

不 信　不: 아닐 불

• **불신**: 무엇인가를 믿지 않음. 무엇을 믿
지 못함.

自 信 感　自: 스스로 자
　　　　　感: 느낄 감

• **자신감**: 자기가 어떤 일을 할 수 있다고
스스로 믿는 것.

新 入　入: 들 입

• **신입**: 어떤 모임이나 단체에 새로 들어
옴.

新 人　人: 사람 인

• **신인**: 어떤 분야에 새로 끼어들어 활동
을 시작한 사람.

다음 한자의 훈과 음을 찾아 선으로 이으세요.

❶ 信　❷ 神　❸ 新

· · ·
· · ·

귀신 신　믿을 신　새 신

 다음 밑줄 친 단어의 한자를 찾아 번호를 쓰세요.

① 新入　② 新人　③ 神話　④ 不信

❶ 그리스 <u>신화</u>에는 다양한 신들이 등장합니다.　(　　)

❷ <u>신입</u> 회원을 모집하는 공고가 붙었습니다.　(　　)

❸ 대표에 대한 회원들의 <u>불신</u>이 점차 깊어졌습니다.　(　　)

❹ 올해 처음 경기에 나선 <u>신인</u> 선수들이 큰 활약을 했습니다.　(　　)

교과서
어휘力 다음 빈칸에 알맞은 한자를 써서 무엇에 대한 설명인지 완성하세요.

우리나라 역사상 최초의 국가인 고조선의 건국 이야기예요. 하늘에서 내려온 환웅과 곰이었다가 사람이 된 웅녀가 결혼해서 낳은 아들인 단군이 나라를 세우고 다스렸다는 내용이에요.

檀	君		話
박달나무 단	임금 군	귀신 신	말씀 화

失
잃을 실

失

손에 쥐고 있던 물건을
떨어뜨려 잃어버렸다는
데서 **잃다**를 뜻해요.

愛
사랑 애

愛

손으로 가슴을 감싸 안고
마음(心)을 고백한다는 데서
사랑을 뜻해요.

夜
밤 야

夜

사람(亻)은 저녁(夕)에 집(亠)
에서 쉰다는 것을 나타낸
글자로, **밤**을 뜻해요.

(부수) 大　　(획수) 총 5획
(쓰는 순서) ノ ﾉ 二 牛 失

失	
잃을 **실**	잃을 **실**
잃을 **실**	잃을 **실**

(부수) 心　　(획수) 총 13획
(쓰는 순서) ⺈ ⺈ ⺊ ⺊ ⺾ ⺾ ⺈
爫 爫 爫 爫 爫 愛

愛	
사랑 **애**	사랑 **애**
사랑 **애**	사랑 **애**

(부수) 夕　　(획수) 총 8획
(쓰는 순서) 丶 ﾉ 亠 广 疒 疒 夜 夜
夜

夜	
밤 **야**	밤 **야**
밤 **야**	밤 **야**

어휘力 사전

失 手　手: 손 수
• **실수**: 잘 알지 못하거나 주의하지 않아
서 잘못함.

失 禮　禮: 예도 례
• **실례**: 말이나 행동이 예의에 맞지 않음.
예의에 맞지 않는 행동.

愛 用　用: 쓸 용
• **애용**: 어떤 물건을 좋아해서 아끼는 마
음을 가지고 즐겨 사용함.

愛 讀 者　讀: 읽을 독
　　　　　者: 놈 자
• **애독자**: 책이나 잡지 같은 글을 꾸준히
즐겨 읽는 사람.

夜 光　光: 빛 광
• **야광**: 어두운 곳에서 빛을 내는 것이나
그런 물건.

夜 間　間: 사이 간
• **야간**: 해가 진 뒤부터 다시 날이 밝아
해가 뜨기 전까지의 동안.

다음 한자와 뜻이 반대되는 한자를 골라 ○표 하세요.

得			
얻을 득	❶ 失	❷ 愛	❸ 夜
	(　)	(　)	(　)

😊 다음 밑줄 친 한자의 음을 찾아 번호를 쓰세요.

> ① 실례　　　② 야간　　　③ 애용　　　④ 실수

❶ 조심하지 않으면 **失手**를 할 수 있습니다. 　　　　　　(　)

❷ **失禮**를 무릅쓰고 한 가지만 더 여쭤보겠습니다. 　　(　)

❸ 우리 동네 병원은 매주 화요일에 **夜間** 진료를 합니다. (　)

❹ 우리나라의 물건을 **愛用**하자는 운동이 벌어졌습니다. (　)

 다음 빈칸에 알맞은 한자를 써서 사자성어를 완성하세요.

무엇을 매우 사랑하고 소중히 여기며 귀여워한다는 말이에요.

낮에는 농사를 짓고 밤에는 글을 읽는다는 말로, 어려움 속에서도 꿋꿋이 공부한다는 뜻이에요.

❶		之	重	之
	사랑 애	갈 지	무거울 중	갈 지

❷	晝	耕		讀
	낮 주	밭갈 경	밤 야	읽을 독

6급 기출 문제

한자의 훈과 음을 쓰면서 6주에 배운 내용을 복습하세요.

한자	훈	음
習	익힐	①
術	재주	②
身	③	신
神	귀신	④
愛	⑤	애
始	비로소	⑥
夜	밤	⑦
式	⑧	식
孫	⑨	손
新	새	⑩
樹	⑪	수
失	잃을	⑫
信	⑬	신
勝	이길	⑭
速	빠를	⑮

[1~16] 다음 밑줄 친 한자어의 음을 쓰세요.

보기
漢字 → 한자

1. 나는 이 신발을 愛用합니다.

2. 오늘은 入學式이 있는 날입니다.

3. 할아버지와 孫女가 산책을 갑니다.

4. 의사가 手術 준비를 하고 있습니다.

5. 자기 부상 열차는 速度가 빠릅니다.

6. 이곳은 夜間에도 계속 일을 합니다.

7. 이 잡지는 愛讀者가 매우 많습니다.

8. 자동차의 速力이 점점 올라갔습니다.

9. 오늘 체육 시간에는 自習을 했습니다.

10. 갑자기 차에 始動이 걸리지 않았습니다.

11. 그는 충격을 받아 갑자기 失神했습니다.

12. 친구 代身 도서관에 책을 반납했습니다.

13. 新入 기자가 취재한 내용을 기사로 썼습니다.

14. 우리 학교 야구부는 대회에서 全勝을 거두었습니다.

15. 선생님께서 學習 방법을 자세히 설명해 주셨습니다.

16. 이 시계에는 夜光 기능이 있어 밤에도 쉽게 시간을 볼 수 있습니다.

[17~18] 다음 한자의 훈과 음을 쓰세요.

17. 勝

18. 神

[19~20] 다음 한자의 반대 또는 상대되는 한자를 골라 그 번호를 쓰세요.

19. 祖: ① 速 ② 孫 ③ 樹

20. 古: ① 失 ② 信 ③ 新

[21~22] 다음 한자와 뜻이 비슷한 한자를 골라 그 번호를 쓰세요.

21. 木: ① 式 ② 樹 ③ 愛

22. 學: ① 習 ② 夜 ③ 身

[23~24] 다음 중 소리는 같으나 뜻이 다른 한자를 골라 그 번호를 쓰세요.

23. 神: ① 新 ② 失 ③ 速

24. 食: ① 夜 ② 勝 ③ 式

[25~26] 다음 □ 안에 알맞은 한자를 보기에서 찾아 그 번호를 쓰세요.

보기

① 身 ② 勝 ③ 習 ④ 失

25. 百戰百□: 백번 싸워 백번 이긴다는 뜻으로, 싸울 때마다 번번이 이김.

26. □土不二: 몸과 땅은 둘이 아니고 하나라는 뜻으로, 자기가 사는 땅에서 나는 농산물이 체질에 맞음을 이르는 말.

[27~28] 다음 뜻에 맞는 한자어를 보기에서 찾아 그 번호를 쓰세요.

보기

① 學習 ② 神話 ③ 失手 ④ 樹木

27. 살아 있는 나무.

28. 지식이나 기술을 배우고 익히는 일.

[29~30] 다음 한자의 짙게 표시한 획은 몇 번째 쓰는 획인지 보기에서 찾아 그 번호를 쓰세요.

보기

① 첫 번째 ② 두 번째 ③ 세 번째
④ 네 번째 ⑤ 다섯 번째 ⑥ 여섯 번째

29. 失

30. 式

쏙 교과서 한자 • 속력의 단위

速力(속력)은 물체가 일정한 시간 동안 움직인 거리, 즉 물체의 빠르기를 나타낼 때 사용해요. 속력이 클수록 물체가 더 빨리 움직인다고 할 수 있지요.

속력의 단위에는 時速(시속), 分速(분속), 秒速(초속) 등이 있어요. 시속은 1시간을 단위로 하여 잰 속력, 분속은 1분을 단위로 하여 잰 속력, 초속은 1초를 단위로 하여 잰 속력이에요.

개미보다는 사람이, 사람보다는 자동차가 더 빨리 간다는 것을 알 수 있어요. 그렇다면 속력이 가장 빠른 것은 무엇일까요?

지금까지 연구된 결과에 따르면 빛의 속력이 가장 빨라요. 빛은 1초에 약 30만 km를 이동한다고 하니 정말 굉장하죠?

속력이라는 개념을 배웠으니, 앞으로 이동하는 물체를 볼 때에는 속력이 얼마나 되는지 생각해 보도록 해요.

7주

1일

野 들 야 | 弱 약할 약 | 藥 약 약

2일

陽 볕 양 | 洋 큰 바다 양 | 言 말씀 언

3일

業 업 업 | 英 꽃부리 영 | 永 길 영

4일

溫 따뜻할 온 | 勇 날랠 용 | 用 쓸 용

5일

運 옮길 운  | 園 동산 원 | 遠 멀 원

7주 1일

野
들 **야**

사람이 사는 마을(里)에서 멀리 떨어진 곳을 나타낸 글자로, **들**을 뜻해요.

弱
약할 **약**

약한 활(弓) 두 개를 겹쳐 놓은 모습을 나타낸 글자로, **약하다**를 뜻해요.

藥
약 **약**

병을 다스리는 풀(艹)을 나타낸 글자로, **약**을 뜻해요.

(부수) 里 (획수) 총 11획

(쓰는 순서) 丨 口 日 日 旦 甲 里 野 野 野 野

野	
들 **야**	들 **야**
들 **야**	들 **야**

(부수) 弓 (획수) 총 10획

(쓰는 순서) ㄱ ㄱ 弓 弓 弓 弓 弓 弱 弱 弱

弱	
약할 **약**	약할 **약**
약할 **약**	약할 **약**

(부수) 艹 (획수) 총 19획

(쓰는 순서) 一 十 卄 艹 艹 艹 艹 艹 艹 艹 艹 艹 艹 艹 藥 藥 藥 藥 藥

藥	
약 **약**	약 **약**
약 **약**	약 **약**

어휘力 사전

平 野 平: 평평할 평
- **평야**: 땅이 평평하고 넓은 들.

野 外 外: 바깥 외
- **야외**: 도시에서 조금 떨어져 있는 들판.

弱 者 者: 놈 자
- **약자**: 힘이나 권력이 약한 사람.

強 弱 強: 강할 강
- **강약**: 힘이나 세력 따위가 강함과 약함.

藥 草 草: 풀 초
- **약초**: 약으로 쓰는 풀.

韓 藥 韓: 한국/나라 한
- **한약**: 한방에서 쓰는 약.

다음 한자와 뜻은 다르지만 음이 같은 한자를 찾아 ○표 하세요.

弱　　❶ 藥　　❷ 野
　　　　（　　）　　（　　）

 다음 밑줄 친 단어의 한자를 찾아 번호를 쓰세요.

① 藥草　　② 弱者　　③ 韓藥　　④ 野外

❶ 힘이 없는 약자를 보호해야 합니다.　　　　　　（　　）

❷ 한의원에 가서 한약을 지어 왔습니다.　　　　（　　）

❸ 가족과 함께 야외로 나들이를 하러 갔습니다.　（　　）

❹ 아버지께서 약초를 캐러 산에 올라가셨습니다.　（　　）

교과서
어휘力 다음 설명을 보고 빈칸에 알맞은 한자를 써서 경기의 이름을 완성하세요.

나는 수비하는 쪽이에요.

나는 공격하는 쪽이에요.

9명씩으로 이루어진 두 팀이 하는 경기에요. 공격하는 쪽이 상대편 선수가 던진 공을 방망이로 치고 경기장을 돌아 점수를 내요.

	球
들 야	공 구

陽
볕 양

洋
큰 바다 양

言
말씀 언

햇볕이 내리쬐는 언덕을
나타낸 글자로,
볕을 뜻해요.

물(氵)이 매우 크다는
데서 바다보다도 큰 물,
큰 바다를 뜻해요.

입에서 소리가 퍼져 나가는
모습을 나타낸 글자로,
말하다, 말씀을 뜻해요.

(부수) 阝(阜)　(획수) 총 12획
(쓰는 순서) 阝 阝 阝 阝 阝 阝 阝 阝 阝 阝 陽 陽 陽

| 볕 양 | 볕 양 |
| 볕 양 | 볕 양 |

(부수) 氵(水)　(획수) 총 9획
(쓰는 순서) 氵 氵 氵 氵 氵 氵 氵 洋 洋

| 큰 바다 양 | 큰 바다 양 |
| 큰 바다 양 | 큰 바다 양 |

(부수) 言　(획수) 총 7획
(쓰는 순서) 言 言 言 言 言 言 言

| 말씀 언 | 말씀 언 |
| 말씀 언 | 말씀 언 |

어휘力 사전

陽 地　地: 땅 지
•**양지**: 볕이 들어 밝고 따뜻한 곳.

夕 陽　夕: 저녁 석
•**석양**: 저녁때의 햇빛. 저녁때 저무는 해.

海 洋　海: 바다 해
•**해양**: 넓고 큰 바다.

洋 服　服: 옷 복
•**양복**: 남자의 서양식 옷차림.

發 言　發: 필 발
•**발언**: 말을 하여 의견을 나타냄.

言 行　行: 다닐 행
•**언행**: 말과 행동을 아울러 이르는 말.

☺ 다음 한자 중 음이 같은 한자 두 개를 찾아 ○표 하세요.

❶ 洋　**❷** 言　**❸** 陽

（　）　（　）　（　）

😊 다음 밑줄 친 한자의 음을 찾아 번호를 쓰세요.

> ① 언행　② 해양　③ 석양　④ 발언

❶ 그는 회의에서 <u>發言</u>할 기회를 얻었습니다.　（　）

❷ 나는 강가에서 붉은 <u>夕陽</u>을 바라보았습니다.　（　）

❸ 바다에 버린 쓰레기 때문에 <u>海洋</u> 오염이 심각합니다.　（　）

❹ 다른 사람이 불편하지 않게 <u>言行</u>을 조심해야 합니다.　（　）

교과서 어휘力 😈 다음 내용을 보고 ●에 공통으로 들어갈 한자를 빈칸에 쓰세요.

우리는 태●계를 이루는 구성원이에요.

태●의 영향이 미치는 공간과 그 공간에 있는 구성원을 통틀어서 태●계라고 해요.

↓

별 양

業
업 업

英
꽃부리 영

永
길 영

악사들이 일을 하기 위해 들고 다니던 악기의 모습을 나타낸 글자로, **직업, 일**을 뜻해요.

풀밭(艹) 가운데 꽃이 피어 있는 모습을 나타낸 글자로, **꽃부리, 뛰어나다**를 뜻해요.

물줄기가 여러 갈래로 길게 뻗어 나가는 모습을 나타낸 글자로, **길다**를 뜻해요.

(부수) 木　(획수) 총 13획

(쓰는 순서) ` ｜ ｜｜ ｜‖ ‖‖ ‖‖ ‖‖ ‖‖ ‖‖ ‖‖ 丵 業 業

業	
업 **업**	업 **업**
업 **업**	업 **업**

(부수) 艹(艸)　(획수) 총 9획

(쓰는 순서) 一 艹 艹 艹 苎 苎 英 英

英	
꽃부리 **영**	꽃부리 **영**
꽃부리 **영**	꽃부리 **영**

(부수) 水　(획수) 총 5획

(쓰는 순서) ` 亅 ｝ 永 永

永	
길 **영**	길 **영**
길 **영**	길 **영**

어휘力 사전

生 業　生: 날 생
• **생업**: 살아가기 위하여 하는 일.

作 業　作: 지을 작
• **작업**: 일정한 목적을 가지고 정해진 계획에 따라 하는 일.

英 才　才: 재주 재
• **영재**: 뛰어난 재능이나 지능을 가진 사람.

英 語　語: 말씀 어
• **영어**: 영국, 미국, 호주 등에서 쓰는 언어로, 영국에서 발생한 언어.

永 住　住: 살 주
• **영주**: 한곳에서 오래 사는 것.

永 遠　遠: 멀 원
• **영원**: 오래 계속되어 끝이 없는 것. 언제까지나 변하지 않음.

😊 다음 한자의 훈과 음을 찾아 선으로 이으세요.

❶ 英　　❷ 永　　❸ 業
・　　　・　　　・

・　　　・　　　・
꽃부리 영　　업 업　　길 영

😄 다음 밑줄 친 단어의 한자를 찾아 번호를 쓰세요.

① 永遠　　② 英語　　③ 作業　　④ 生業

❶ 그는 회사에서 오후 늦게까지 <u>작업</u>을 했습니다.　　　　　（　　）

❷ 농촌에 계신 할아버지께서는 농사를 <u>생업</u>으로 하십니다.　（　　）

❸ 친구들과 함께 <u>영원</u>히 우정을 지켜 가기로 약속했습니다.　（　　）

❹ 우리나라에 온 외국인 관광객이 <u>영어</u>로 길을 물었습니다.　（　　）

교과서
어휘力 😈 다음 빈칸에 알맞은 한자를 써서 무엇을 설명하는지 알아보세요.

나는 거북선을 이용해 일본군을 크게 무찔렀지.

▲ 이순신

▲ 거북선

• 임진왜란 때 옥포 해전을 시작으로 한산도 대첩 등 모든 해전에서 승리해 조선을 위기에서 구해냈어요.
• 땅의 모양이나 기후 등을 고려해 학익진 전법과 같은 뛰어난 전법을 사용했어요.

이순신 장군의 | | 績
업 업 | 길쌈할 적

溫 따뜻할 온

큰 대야에 따뜻한 물(氵)을 받아 목욕하는 사람을 나타내어 **따뜻하다**를 뜻해요.

(부수) 氵(水)　(획수) 총 13획

(쓰는 순서) 丶 丶 氵 氵 氵 氵 氵 氵 氵 溫 溫 溫 溫

溫	
따뜻할 온	따뜻할 온
따뜻할 온	따뜻할 온

勇 날랠 용

힘차게(力) 움직이는 모습을 나타낸 글자로, **날래다**, **용감하다**를 뜻해요.

(부수) 力　(획수) 총 9획

(쓰는 순서) 丶 丶 丆 丙 丙 丙 甬 勇 勇

勇	
날랠 용	날랠 용
날랠 용	날랠 용

用 쓸 용

속이 비어서 물건을 넣을 수 있는 나무통의 모습을 나타낸 글자로, **쓰다**를 뜻해요.

(부수) 用　(획수) 총 5획

(쓰는 순서) 丿 刀 刀 月 用

用	
쓸 용	쓸 용
쓸 용	쓸 용

어휘力 사전

溫 水　水: 물 수
• **온수**: 따뜻한 물.

溫 和　和: 화할 화
• **온화**: 날씨나 기후가 맑고 따뜻함.

勇 氣　氣: 기운 기
• **용기**: 겁이 없고 씩씩한 기운.

勇 敢　敢: 감히 감
• **용감**: 씩씩하고 겁이 없음.

用 紙　紙: 종이 지
• **용지**: 어떤 일에 쓰는 일정한 종이.

用 語　語: 말씀 어
• **용어**: 어떤 분야에서 주로 사용하는 말.

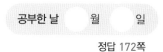
😊 다음 한자의 뜻과 반대되는 한자를 찾아 ○표 하세요.

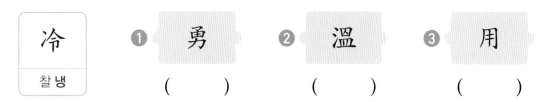

| 冷
찰 냉 | ❶ 勇
(　　) | ❷ 溫
(　　) | ❸ 用
(　　) |

😊 다음 밑줄 친 한자의 음을 찾아 번호를 쓰세요.

① 용어　　　② 온수　　　③ 용기　　　④ 용지

❶ 복사기에 **用紙**가 없다는 알림이 떴습니다.　　　　　(　　)

❷ 집에 **溫水**가 나오지 않아서 찬물로 씻었습니다.　　　(　　)

❸ 의사 선생님은 알 수 없는 **用語**를 사용해 말했습니다.　(　　)

❹ 그는 **勇氣** 있게 위험에 처한 어린아이를 구출했습니다.　(　　)

교과서
어휘力 😆 다음 내용을 보고 빈칸에 공통으로 들어갈 한자를 쓰세요.

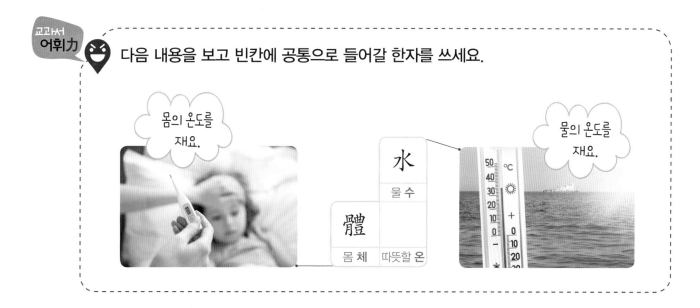

運
옮길 운

園
동산 원

遠
멀 원

군사(軍)가 전차를 옮겨 앞으로 나아가는 것을 나타낸 글자로, **옮기다**를 뜻해요.

사방이 담으로 둘러싸인 정원을 거닌다는 데서 **동산, 뜰**을 뜻해요.

길게 늘어진 옷자락처럼 길이 멀다는 것을 나타낸 글자로, **멀다**를 뜻해요.

(부수) 辶(辵) (획수) 총 13획

(쓰는순서) ⺄ ⺄ ⺆ ⺆ ⺆ ⺆ 戶 戶 戶 軍 軍 運 運 運

옮길 운	옮길 운
옮길 운	옮길 운

(부수) 囗 (획수) 총 13획

(쓰는순서) 丨 冂 冂 冃 冃 周 周 周 周 園 園 園 園

동산 원	동산 원
동산 원	동산 원

(부수) 辶(辵) (획수) 총 14획

(쓰는순서) 一 十 土 圡 吉 吉 吉 吉 吉 袁 袁 袁 遠 遠 遠

멀 원	멀 원
멀 원	멀 원

어휘力 사전

運 行 行: 다닐 행
• **운행**: 정해진 길을 따라 운전하여 다님.

運 動 動: 움직일 동
• **운동**: 건강을 위해 몸을 단련하거나 몸을 움직이는 일.

花 園 花: 꽃 화
• **화원**: 꽃을 심은 동산. 꽃 가게.

庭 園 庭: 뜰 정
• **정원**: 집 안에 풀과 나무 등을 가꾸어 놓은 뜰이나 꽃밭.

遠 近 近: 가까울 근
• **원근**: 멀고 가까움. 먼 곳과 가까운 곳.

遠 大 大: 큰 대
• **원대**: 미래에 대한 꿈이나 계획 등이 큼.

😊 다음 한자와 뜻이 비슷한 한자를 찾아 ○표 하세요.

動	❶ 運	❷ 園	❸ 遠
움직일 **동**	(　　)	(　　)	(　　)

😄 다음 밑줄 친 단어의 한자를 찾아 번호를 쓰세요.

> ① 花園　　② 運動　　③ 運行　　④ 遠大

❶ 그는 건강을 위해 규칙적으로 <u>운동</u>을 합니다.　　　　(　　　)

❷ 이 버스는 내가 사는 동네까지 <u>운행</u>하지 않습니다.　　(　　　)

❸ 정호는 우주를 정복하겠다는 <u>원대</u>한 계획을 세웠습니다.　(　　　)

❹ 친구와 함께 집 근처에 있는 <u>화원</u>에 들러 꽃을 샀습니다.　(　　　)

 😈 다음 ●에 들어갈 한자를 빈칸에 써서 안내문을 완성하세요.

세계 자연 유산 한라산 ●●●● 에 오신 것을 환영합니다.

▲ 백록담

한라산은 높이가 1,950미터로 우리나라에서는 백두산 다음으로 높은 산입니다.
한라산 정상에서는 분화구에 물이 고여 생긴 호수, 백록담을 볼 수 있습니다.

國	立	公	
나라**국**	설**립**	공평할**공**	동산**원**

한자의 훈과 음을 쓰면서 7주에 배운 내용을 복습하세요.

한자	훈	음
野	들	**1**
陽	**2**	양
業	업	**3**
溫	따뜻할	**4**
運	**5**	운
弱	약할	**6**
洋	**7**	양
英	꽃부리	**8**
勇	날랠	**9**
園	**10**	원
藥	약	**11**
言	**12**	언
永	**13**	영
用	쓸	**14**
遠	멀	**15**

 6급 기출 문제

[1~16] 다음 밑줄 친 한자어의 음을 쓰세요.

> 보기
>
> 漢字 → 한자

1. <u>陽地</u>에 화분을 옮겨 주었습니다.

2. 사랑은 예술의 <u>永遠</u>한 소재입니다.

3. 늘 <u>弱者</u>의 편에서 생각해야 합니다.

4. <u>平野</u>에서는 주로 논농사를 짓습니다.

5. 작가는 <u>言語</u> 감각이 뛰어나야 합니다.

6. <u>溫度</u>는 차갑고 따뜻한 정도를 말합니다.

7. <u>運動</u>을 심하게 하면 체온이 올라갑니다.

8. 비가 와서 <u>野外</u> 행사가 취소되었습니다.

9. 그녀의 취미는 <u>庭園</u>을 가꾸는 것입니다.

10. <u>野生</u> 동물들이 무리 지어 살고 있습니다.

11. 동생은 <u>勇氣</u>를 내어 잘못을 고백했습니다.

12. 인터넷을 <u>利用</u>할 때는 예절을 지켜야 합니다.

13. 기차 <u>運行</u> 시간이 바뀌어서 늦게 도착했습니다.

14. 그녀는 취미로 하던 일을 <u>生業</u>으로 삼았습니다.

15. 할아버지께서 몸에 좋은 <u>藥草</u>를 보내 주셨습니다.

16. 그는 세계를 정복하려는 <u>遠大</u>한 꿈을 갖고 있었습니다.

[17~18] 다음 한자의 훈과 음을 쓰세요.

17. 園

18. 言

[19~20] 다음 한자의 반대 또는 상대되는 한자를 골라 그 번호를 쓰세요.

19. 強 : ① 弱 ② 洋 ③ 用

20. 近 : ① 藥 ② 遠 ③ 溫

[21~22] 다음 한자와 뜻이 비슷한 한자를 골라 그 번호를 쓰세요.

21. 事 : ① 運 ② 勇 ③ 業

22. 海 : ① 遠 ② 洋 ③ 陽

[23~24] 다음 중 소리는 같으나 뜻이 다른 한자를 골라 그 번호를 쓰세요.

23. 用 : ① 勇 ② 溫 ③ 洋

24. 園 : ① 運 ② 遠 ③ 言

[25~26] 다음 □ 안에 알맞은 한자를 보기 에서 찾아 그 번호를 쓰세요.

보기
① 多 ② 言 ③ 遠 ④ 弱

25. □肉強食 : 강한 것은 약한 것을 잡아먹고, 약한 것은 강한 것에게 먹히는 것.

26. 一口二□ : 한 입으로 두 말을 한다는 뜻으로, 한 가지 일에 대하여 말을 이랬다저랬다 함을 이르는 말.

[27~28] 다음 뜻에 맞는 한자어를 보기 에서 찾아 그 번호를 쓰세요.

보기
① 英才 ② 強弱 ③ 海洋 ④ 溫水

27. 넓고 큰 바다.

28. 뛰어난 재주. 또는 그런 사람.

[29~30] 다음 한자의 짙게 표시한 획은 몇 번째 쓰는 획인지 보기 에서 찾아 그 번호를 쓰세요.

보기
① 첫 번째 ② 두 번째 ③ 세 번째
④ 네 번째 ⑤ 다섯 번째 ⑥ 여섯 번째

29. 用

30. 永

세계의 대양

大洋(대양)은 세계의 海洋(해양) 가운데에서도 특히 넓은, 대규모의 바다를 말해요. 지구에는 수많은 바다가 있는데 그중 태평양, 대서양, 인도양, 북극해, 남극해를 五大洋(오대양)이라고 해요. 태평양이나 인도양, 대서양처럼 洋(양)이 붙는 바다는 매우 큰 바다를 말해요. 그리고 북극해, 남극해처럼 海(해)가 붙는 바다는 부분적으로 또는 거의 전체가 육지에 둘러싸인 바다를 말하지요.

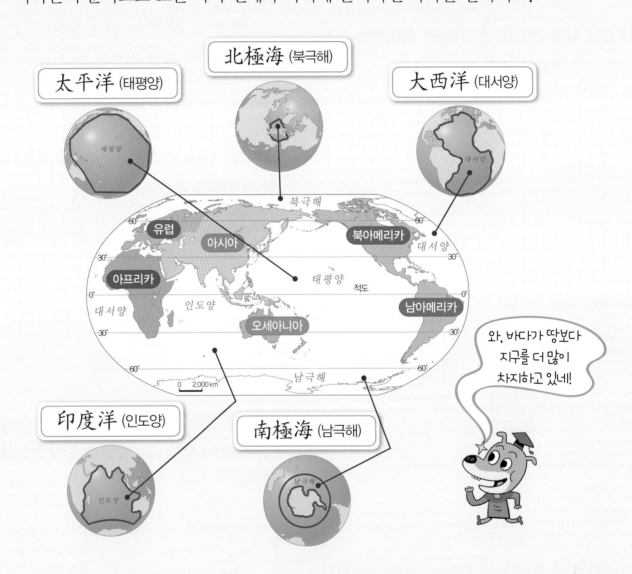

이렇게 세계의 대양을 살펴보니 지구에서 바다가 차지하는 비중이 얼마나 큰지 알 수 있겠죠? 오대양 중에서도 우리나라의 바다가 속해 있는 태평양이 가장 크다는 사실도 함께 기억해요.

8주

1일
由 말미암을 유
油 기름 유
銀 은 은

2일
音 소리 음
飮 마실 음
意 뜻 의

3일
醫 의원 의
衣 옷 의
者 놈 자

4일
作 지을 작
昨 어제 작
章 글 장

5일
才 재주 재
在 있을 재
戰 싸움 전

由
말미암을 유

불이 켜져 있는 등잔의 모습을 나타낸 글자로, **말미암다** (원인이 되다)를 뜻해요.

(부수) 田　　(획수) 총 5획
(쓰는 순서) 丨 冂 冂 由 由

由	
말미암을 유	말미암을 유
말미암을 유	말미암을 유

油
기름 유

등잔에 불을 붙이기 위해 기름을 붓는 모습을 나타낸 글자로, **기름**을 뜻해요.

(부수) 氵(水)　　(획수) 총 8획
(쓰는 순서) 丶 丶 氵 汀 汩 汩 油 油

油	
기름 유	기름 유
기름 유	기름 유

銀
은 은

금(金)보다 조금 모자란 금속이라는 데서 **은**을 뜻해요.

(부수) 金　　(획수) 총 14획
(쓰는 순서) 丿 人 人 仝 仝 牟 金 金 釕 釕 釕 釘 銀 銀 銀

銀	
은 은	은 은
은 은	은 은

어휘力 사전

由 來　來: 올 래
•**유래**: 사물이나 일이 생겨난 역사.

自 由　自: 스스로 자
•**자유**: 구속받지 않고 자기 마음대로 할 수 있는 상태.

注 油　注: 부을 주
•**주유**: 자동차나 기계에 기름을 넣는 것.

石 油　石: 돌 석
•**석유**: 땅에 묻혀 있으며 불에 잘 타는 성질을 가진 끈적끈적하고 검은 물체.

金 銀　金: 쇠 금
•**금은**: 금과 은.

銀 行　行: 다닐 행
•**은행**: 사람들의 돈을 맡아 관리·운영하는 일을 하는 기관.

 다음 한자 중 음이 같은 한자 두 개를 찾아 ○표 하세요.

❶　由　　　❷　油　　　❸　銀

　　(　　)　　　　(　　)　　　　(　　)

 다음 밑줄 친 단어의 한자를 찾아 번호를 쓰세요.

| ① 由來 | ② 石油 | ③ 金銀 | ④ 銀行 |

❶ 책에서 한복의 <u>유래</u>에 대해 읽었습니다. 　　　　(　　)

❷ <u>석유</u> 값이 폭등하여 전 세계가 혼란에 빠졌습니다. 　　(　　)

❸ 흥부의 박에서 온갖 보석과 <u>금은</u>이 쏟아져 나왔습니다. 　(　　)

❹ 사람들은 <u>은행</u>에 돈을 안전하게 맡기고 이자를 받습니다. 　(　　)

교과서 어휘力　다음 빈칸에 공통으로 들어갈 한자를 쓰세요.

교통수단이나 난방용 연료 등에 사용되는 기름이에요.

食　밥/먹을 식
用　쓸 용
石　　　
돌 석　기름 유

음식을 만드는 데 사용하는 기름이에요.

音
소리 음

입에서 소리가 나는 모습을
나타낸 글자로, **소리**를
뜻해요.

飮
마실 음

사람이 입을 벌려 물과 같은
것을 마시는 모습을 나타낸
글자로, **마시다**를 뜻해요.

意
뜻 의

마음(心)에서 우러나오는
소리(音)를 나타낸 글자로,
뜻, 생각을 뜻해요.

（부수）音　　（획수）총 9획

（쓰는
순서） `丶 ㆍ 二 亠 立 产 音`
音 音

音	音
소리 **음**	소리 **음**
소리 **음**	소리 **음**

（부수）𩙿(食)　　（획수）총 13획

（쓰는
순서） `丿 𠆢 𠆢 仐 合 合 食`
食 食 飠 飮 飮 飮

飮	飮
마실 **음**	마실 **음**
마실 **음**	마실 **음**

（부수）心　　（획수）총 13획

（쓰는
순서） `丶 ㆍ 二 亠 立 产 音`
音 音 音 意 意 意

意	意
뜻 **의**	뜻 **의**
뜻 **의**	뜻 **의**

어휘力 사전

音 讀　讀: 읽을 독

•**음독**: 글 등을 소리 내어 읽음. 한자를
음으로 읽음.

發 音　發: 필 발

•**발음**: 목청·혀·이·입술 등을 이용해
말의 소리를 내는 일.

飮 食　食: 밥/먹을 식

•**음식**: 사람이 영양과 맛을 위해 먹고 마
시는 것.

米 飮　米: 쌀 미

•**미음**: 쌀이나 좁쌀 등에 물을 많이 넣고
풀어지도록 오래 끓여 만든 음식.

意 圖　圖: 그림 도

•**의도**: 어떤 일을 하고자 하는 마음속의
생각이나 계획.

同 意　同: 한가지 동

•**동의**: 남과 의견이 같거나 그 의견에 찬
성하는 것.

📍 다음 한자와 음이 같은 한자를 찾아 ◯표 하세요.

音　　❶ 飮　(　)　❷ 意　(　)

📍 다음 밑줄 친 한자의 음을 찾아 번호를 쓰세요.

① 발음　　② 의도　　③ 미음　　④ 음식

❶ 맛있는 飮食을 먹는 것은 행복한 일입니다.　　(　)

❷ 일이 점점 意圖와는 다르게 흘러가고 있었습니다.　　(　)

❸ 엄마께서 아픈 동생에게 米飮을 만들어 주셨습니다.　　(　)

❹ 낱말을 바르게 發音해야 생각을 잘 전할 수 있습니다.　　(　)

교과서 어휘力 😈 토의와 토론의 차이점을 생각하며 다음 ⬤에 들어갈 한자를 빈칸에 쓰세요.

토의

어떻게 하면 모두가 공평하게 운동장을 사용할 수 있을까?

어떤 공통 문제의 해결 방안을 찾기 위해 서로 ⬤⬤을 나누는 것.

토론

급식으로 먹고 싶은 반찬만 먹으면 좋겠어.

조금씩이라도 다 받아야 편식을 하지 않을 수 있어.

어떤 문제에 대해 찬성과 반대의 ⬤⬤을 말하며 논의하는 것.

見

뜻 의　음 견

醫
의원 의

아픈 사람을 약으로
고치는 것을 나타낸 글자로,
의원, **치료하다**를 뜻해요.

衣
옷 의

옛날 사람이 입던 윗옷인
저고리의 모양을 나타낸 글자로,
옷을 뜻해요.

者
놈 자

나이 든 사람이 어린 사람
에게 낮추어 말한다는 데서
놈, **사람**을 뜻해요.

(부수) 酉　　(획수) 총 18획
(쓰는 순서) 一 𠃌 匚 匸 𠄐 乑 医
医殳 医殳 医殳 医殳 医殳 医殳 医殳
医殳 医殳 医殳 医殳

醫	
의원 **의**	의원 **의**
의원 **의**	의원 **의**

(부수) 衣　　(획수) 총 6획
(쓰는 순서) 丶 亠 亠 𠂃 𧘇 衣

衣	
옷 **의**	옷 **의**
옷 **의**	옷 **의**

(부수) 耂(老)　　(획수) 총 9획
(쓰는 순서) 一 十 土 耂 耂 者
者 者

者	
놈 **자**	놈 **자**
놈 **자**	놈 **자**

어휘力 사전

醫 學　學: 배울 학
• **의학**: 병을 예방, 치료하기 위한 학문.

醫 術　術: 재주 술
• **의술**: 병을 고치는 기술.

內 衣　內: 안 내
• **내의**: 겉옷의 속에 받쳐 입는 옷.

衣 食 住　食: 밥/먹을 식
　　　　　住: 살 주
• **의식주**: 옷·음식·집을 통틀어 이르는 말.

學 者　學: 배울 학
• **학자**: 학문을 연구하는 사람.

記 者　記: 기록할 기
• **기자**: 기사를 취재하여 쓰는 사람.

😊 다음 한자 중 음이 다른 한자 한 개를 찾아 ◯표 하세요.

❶ 衣   ❷ 醫   ❸ 者

(   )   (   )   (   )

😉 다음 밑줄 친 단어의 한자를 찾아 번호를 쓰세요.

① 內衣   ② 記者   ③ 醫學   ④ 學者

❶ 삼촌은 대학교에서 의학을 전공했습니다.   (   )

❷ 그는 추운 겨울에도 내의를 입지 않습니다.   (   )

❸ 학교에 유명한 학자가 강의를 하러 오기로 했습니다.   (   )

❹ 사건을 취재하기 위해 많은 기자들이 몰려들었습니다.   (   )

교과서
어휘力 😈 다음 빈칸에 들어갈 한자를 써서 그림에 대한 설명을 완성하세요.

❶ ☐ 師 선생님이 ❷ 患 ☐ 를 치료해 주고 있어요.
　　의원 의 / 스승 사 　　　근심 환 / 놈 자

作
지을 작

昨
어제 작

章
글 장

사람(亻)이 옷을 만드는
모습을 나타낸 글자로, **짓다**,
만들다를 뜻해요.

해(日)가 넘어가서 지나가
버린 날을 나타낸 글자로,
어제를 뜻해요.

뾰족한 도구로 문자를 새기는
모습을 나타낸 글자로,
글, 문장을 뜻해요.

(부수) 亻(人)　(획수) 총 7획

(쓰는 순서) 丿 亻 亻 仁 作 作 作

(부수) 日　(획수) 총 9획

(쓰는 순서) 丨 冂 冃 日 旷 昨 昨
昨 昨

(부수) 立　(획수) 총 11획

(쓰는 순서) 丶 亠 立 产 音 音
音 音 章 章

지을 **작**	지을 **작**
지을 **작**	지을 **작**

어제 **작**	어제 **작**
어제 **작**	어제 **작**

글 **장**	글 **장**
글 **장**	글 **장**

어휘力 사전

作 家 　家: 집 가
• **작가**: 시나 소설 등을 창작하는 사람.

作 成 　成: 이룰 성
• **작성**: 서류, 원고 따위를 만들어 이룸.

昨 年 　年: 해 년
• **작년**: 지난해.

昨 今 　今: 이제 금
• **작금**: 어제와 오늘을 모두 이르는 말.

圖 章 　圖: 그림 도
• **도장**: 이름 등을 새겨 문서에 찍는 물건.

文 章 　文: 글월 문
• **문장**: 생각이나 감정을 말과 글로 표현할
때 완결된 내용을 나타내는 최소 단위.

😊 다음 한자와 뜻이 비슷한 한자를 찾아 ○표 하세요.

書
글 서

① 作   ② 昨   ③ 章

( )   ( )   ( )

😊 다음 밑줄 친 한자의 음을 찾아 번호를 쓰세요.

| ① 작성 | ② 작년 | ③ 도장 | ④ 작가 |

① 이 문서는 한글 프로그램으로 **作成**해야 합니다.   ( )

② 옛날 임금이 사용했던 **圖章**을 옥새라고 합니다.   ( )

③ 올해 국민 소득은 **昨年** 대비 훨씬 높아졌습니다.   ( )

④ 우리나라 **作家**가 노벨 문학상 후보로 올랐습니다.   ( )

교과서 어휘力 😈 다음 그림을 보고 빈칸에 알맞은 한자를 쓰세요.

이 내용과 사진을 그대로 베껴서 발표 자료에 쓰면 되겠어.

무료로 영화를 다운 받아 보니까 아주 좋은데?

다른 사람의 | 著 나타날 저 | 지을 작 | 權 권세 권 | 을 침해하지 않습니다.

才
재주 재

在
있을 재

戰
싸움 전

사람의 능력도 새싹처럼 싹을
틔울 수 있다는 것을 나타낸
글자로, **재주**를 뜻해요.

흙(土) 속에 뿌리를 박고 있는
싹의 모습을 나타낸 글자로,
있다, 존재하다를 뜻해요.

사냥 도구와 창을
나타낸 글자로, **싸움**,
전쟁을 뜻해요.

(부수) 才(手)　　(획수) 총 3획
(쓰는 순서) 一 十 才

(부수) 土　　(획수) 총 6획
(쓰는 순서) 一 ナ オ 村 存 在

(부수) 戈　　(획수) 총 16획
(쓰는 순서) 丶 丷 丬 吅 吅 吅 啒
吅 吅 吅 單 單 戰
戰 戰

才	
재주 **재**	재주 **재**
재주 **재**	재주 **재**

在	
있을 **재**	있을 **재**
있을 **재**	있을 **재**

戰	
싸움 **전**	싸움 **전**
싸움 **전**	싸움 **전**

어휘力 사전

才 能　能: 능할 능
• **재능**: 개인의 타고난 재주와 능력.

天 才　天: 하늘 천
• **천재**: 남들보다 타고난 뛰어난 재주.
또는 그런 재주를 가진 사람.

現 在　現: 나타날 현
• **현재**: 지금 이 시간.

所 在　所: 바 소
• **소재**: 어떤 사람이나 사물이 있는 곳.

作 戰　作: 지을 작
• **작전**: 싸움을 진행하는 방법을 세움.

戰 力　力: 힘 력
• **전력**: 전투나 경기 등을 할 수 있는 능력.

다음 한자와 뜻은 다르지만 음이 같은 한자를 찾아 ◯표 하세요.

在 ❶ 戰 ( ) ❷ 才 ( )

 다음 밑줄 친 단어의 한자를 찾아 번호를 쓰세요.

| ① 天才 | ② 現在 | ③ 所在 | ④ 作戰 |

❶ 고흐는 <u>천재</u> 미술가입니다. ( )

❷ '지금, 오늘'은 <u>현재</u>를 나타내는 말입니다. ( )

❸ 장군은 놀라운 <u>작전</u>으로 전투를 승리로 이끌었습니다. ( )

❹ 경찰은 범인의 <u>소재</u>를 찾기 위해 노력하고 있습니다. ( )

교과서 어휘力 다음 빈칸에 알맞은 한자를 써서 사자성어를 완성하세요.

재주가 많고 능력이 풍부하다는 것을 이르는 말이에요.

자유롭고 거침이 없이 자기의 뜻대로 할 수 있음을 이르는 말이에요.

❶
| 多 | | 多 | 能 |
| 많을 다 | 재주 재 | 많을 다 | 능할 능 |

❷
| 自 | 由 | 自 | |
| 스스로 자 | 말미암을 유 | 스스로 자 | 있을 재 |

한자의 훈과 음을 쓰면서 8주에 배운 내용을 복습하세요.

한자	훈	음
衣	①	의
油	②	유
銀	③	은
昨	어제	④
飮	마실	⑤
意	⑥	의
醫	의원	⑦
音	소리	⑧
者	놈	⑨
作	⑩	작
在	있을	⑪
章	글	⑫
才	⑬	재
由	말미암을	⑭
戰	싸움	⑮

[1~16] 다음 밑줄 친 한자어의 음을 쓰세요.

보기

漢字 → 한자

1. 飮食을 골고루 먹어야 합니다.

2. '꽃을'은 [꼬츨]로 發音합니다.

3. 국가 대표 팀의 戰力이 약해졌습니다.

4. 여행을 떠나기 전에 注油를 했습니다.

5. 사람들은 그를 天才라고 불렀습니다.

6. 이 고장에서는 많은 學者들이 나왔습니다.

7. 아기에게 첫 圖章을 만들어 주었습니다.

8. 인공위성의 現在 위치를 파악 중입니다.

9. 민주주의 국가에서는 自由를 보장합니다.

10. 衣食住는 인간의 삶에서 가장 중요합니다.

11. 이 소설은 作家의 경험을 바탕으로 쓰였습니다.

12. 주어, 목적어, 서술어는 文章을 구성하는 성분입니다.

13. 슈바이처는 가난한 사람을 위해 자신의 醫術을 펼쳤습니다.

14. 한국銀行은 경기가 침체되거나 과열되면 알맞은 정책을 폅니다.

15. 이 제안이 통과되기 위해서는 과반수의 同意가 필요합니다.

16. 도깨비는 혹부리 영감에게 혹을 떼어 주면 金銀보화를 주겠다고 했습니다.

[17~18] 다음 한자의 훈과 음을 쓰세요.

17. 醫

18. 在

[19~20] 다음 한자의 반대 또는 상대되는 한자를 골라 그 번호를 쓰세요.

19. 今: ① 衣 ② 昨 ③ 銀

20. 和화할화: ① 音 ② 飮 ③ 戰

[21~22] 다음 한자와 뜻이 비슷한 한자를 골라 그 번호를 쓰세요.

21. 有: ① 在 ② 油 ③ 才

22. 服: ① 意 ② 衣 ③ 由

[23~24] 다음 중 소리는 같으나 뜻이 다른 한자를 골라 그 번호를 쓰세요.

23. 油: ① 由 ② 者 ③ 用

24. 意: ① 銀 ② 章 ③ 醫

[25~26] 다음 □ 안에 알맞은 한자를 보기에서 찾아 그 번호를 쓰세요.

보기
① 作 ② 章 ③ 由 ④ 在

25. □心三日 : 단단히 먹은 마음이 삼 일을 가지 못한다는 말.

26. 自□自在 : 자유롭고 거침이 없이 자기의 뜻대로 할 수 있음을 이르는 말.

[27~28] 다음 뜻에 맞는 한자어를 보기에서 찾아 그 번호를 쓰세요.

보기
① 昨今 ② 所在 ③ 作戰 ④ 記者

27. 어떤 사람이나 사물이 있는 곳.

28. 어제와 오늘을 모두 이르는 말.

[29~30] 다음 한자의 짙게 표시한 획은 몇 번째 쓰는 획인지 보기에서 찾아 그 번호를 쓰세요.

보기
① 첫 번째 ② 두 번째 ③ 세 번째
④ 네 번째 ⑤ 다섯 번째 ⑥ 여섯 번째

29. 才

30. 衣

쏙 교과서 한자 · 문장의 종류

文章(문장)은 우리의 생각을 말로 표현하는 가장 작은 단위예요. 우리가 자주 사용하는 문장은 어떻게 끝맺음을 하는지에 따라 그 종류가 달라져요. 문장의 종류에 대해 함께 알아볼까요?

平敍文 (평서문)
말하는 이가 자신의 생각을 평범하게 말하는 문장
꽃이 피었구나.

疑問文 (의문문)
말하는 이가 듣는 이에게 질문을 하는 문장
누가 꽃을 심었지?

感歎文 (감탄문)
말하는 이가 자신의 느낌을 나타내는 문장
꽃이 예쁘게 피었구나!

文章 (문장)

命令文 (명령문)
말하는 이가 듣는 이에게 무엇을 시키거나 행동을 요구하는 문장
꽃을 꺾지 마.

請誘文 (청유문)
말하는 이가 듣는 이에게 어떤 행동을 함께 하기를 권유하는 문장
우리도 꽃을 심자.

난 마침표야. 평서문, 청유문, 명령문 등에 쓰이지!

나는 느낌표야. 감탄문, 청유문, 명령문 등에 주로 쓰여.

나는 물음표로, 의문문에 쓰여.

문장을 글로 쓸 때는 문장의 종류에 맞는 문장 부호를 정확하게 써야 한다는 것도 잊지 말아야 해요.

9주

1일 庭 뜰 정  | 定 정할 정 | 第 차례 제

2일 題 제목 제 | 朝 아침 조 | 族 겨레 족

3일 注 부을 주 | 晝 낮 주 | 集 모을 집

4일 窓 창 창 | 淸 맑을 청 | 體 몸 체

5일 親 친할 친 | 太 클 태 | 通 통할 통

庭
뜰 정

지붕이 있는 궁궐의
작은 마당을 나타낸 글자로,
뜰을 뜻해요.

(부수) 广 　　(획수) 총 10획

(쓰는순서) `, 一 广 广 广 庐 庄 庭 庭 庭 庭`

庭 뜰 정	뜰 정
뜰 정	뜰 정

定
정할 정

집 안의 물건을 바르게(正)
정리하기 위해 자리를 정한다는
데서 **정하다**를 뜻해요.

(부수) 宀 　　(획수) 총 8획

(쓰는순서) `, ''  宀 宀 宇 宇 定 定`

定 정할 정	정할 정
정할 정	정할 정

第
차례 제

대나무(竹)를 차례대로
연결한 모양을 나타낸 글자로,
차례를 뜻해요.

(부수) 竹(竹) 　　(획수) 총 11획

(쓰는순서) `, ' 스 스 竺 竺 竺 竺 笃 第 第`

第 차례 제	차례 제
차례 제	차례 제

어휘力 사전

家 庭 家: 집 가
•**가정**: 한 가족이 생활하는 집.

校 庭 校: 학교 교
•**교정**: 학교의 마당이나 운동장.

定 時 時: 때 시
•**정시**: 일정한 시간이나 시기. 정해진 시간.

安 定 安: 편안 안
•**안정**: 변하지 않고 일정한 상태를 유지함.

第 一 一: 한 일
•**제일**: 여럿 가운데서 첫째가는 것.

第 三 者 三: 석 삼
者: 놈 자
•**제삼자**: 어떤 일에 직접 관계가 없는 사람.

다음 한자 중 음이 같은 한자 두 개를 찾아 ○표 하세요.

① 庭 　　**②** 第 　　**③** 定

（　　　） 　　（　　　） 　　（　　　）

다음 밑줄 친 한자의 음을 찾아 번호를 쓰세요.

① 정시　　　② 제일　　　③ 안정　　　④ 교정

① _定時_에 출근하는 것이 기본입니다. 　　　　（　　　）

② 저에게 _第一_ 소중한 것은 가족입니다. 　　　　（　　　）

③ 명상으로 마음의 _安定_을 찾을 수 있었습니다. 　　　　（　　　）

④ 아버지께서는 오랜만에 _校庭_을 밟아 본다고 하셨습니다. 　　　　（　　　）

교과서
어휘力

다음 빈칸에 알맞은 한자를 써서 사자성어의 뜻을 완성하세요.

나는 어부

둘이 싸우는 틈을 타서 내가 둘 다 잡아가야겠다!

도요새

조개

어부지리(漁父之利)

두 사람이 다투는 상황에서 엉뚱한

三	者
차례 제 석 삼	놈 자

가 예상치

못한 이익을 얻는 것을 뜻해요.

題
제목 제

머리 앞에 나와 있는 이마를 나타낸 글자로, 전체 글의 가장 앞에 있는 **제목**을 뜻해요.

朝
아침 조

해(日)가 뜨고 있는데 달(月)이 함께 떠 있는 모습을 나타낸 글자로, **아침**을 뜻해요.

族
겨레 족

한 깃발 아래 같은 핏줄의 무리가 활을 들고 싸운다는 데서 **겨레**를 뜻해요.

（부수）頁　（획수）총 18획

（쓰는순서）ᐵ ᐵ ᐵ 日 旦 早 昇 昊 是 是 是 趄 題 題 題 題 題 題

題	
제목 **제**	제목 **제**
제목 **제**	제목 **제**

（부수）月　（획수）총 12획

（쓰는순서）一 十 ナ 古 古 古 直 卓 朝 朝 朝 朝

朝	
아침 **조**	아침 **조**
아침 **조**	아침 **조**

（부수）方　（획수）총 11획

（쓰는순서）ᐟ ᐟ ᐟ 方 方 方 扩 扩 族 族

族	
겨레 **족**	겨레 **족**
겨레 **족**	겨레 **족**

어휘力 사전

主 題　主: 주인 주
• **주제**: 대화나 연구, 활동 등에서 중심이 되는 문제나 내용.

問 題　問: 물을 문
• **문제**: 해답을 요구하는 물음.

朝 會　會: 모일 회
• **조회**: 학교나 관청 등에서 아침에 모든 사람들이 한자리에 모이는 일.

朝 夕　夕: 저녁 석
• **조석**: 아침과 저녁.

民 族　民: 백성 민
• **민족**: 같은 지역에서 오랫동안 함께 살 며 언어나 풍속 등을 같이하는 무리.

家 族　家: 집 가
• **가족**: 부모와 자식, 형제자매 등의 관계.

😊 다음 한자와 음이 같은 한자를 찾아 ○표 하세요.

第		❶	題	❷	朝	❸	族
차례 **제**			(　　)		(　　)		(　　)

😊 다음 밑줄 친 단어의 한자를 찾아 번호를 쓰세요.

> ① 朝會　　　② 民族　　　③ 問題　　　④ 主題

❶ 학급 회의 주제가 정해졌습니다. 　　　　　　　　　　(　　)

❷ 추석은 우리 민족 고유의 명절입니다. 　　　　　　　(　　)

❸ 조회 시간에 교장 선생님과 인사를 나누었습니다. (　　)

❹ 여럿이 힘을 합하면 어려운 문제도 쉽게 해결할 수 있습니다. (　　)

😈 다음 빈칸에 알맞은 한자를 써서 '이 나라'의 이름을 완성하세요.

태조 이성계는 고려를 멸망시키고 이 나라를 세웠어요.

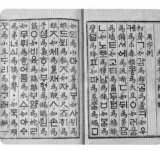

훈민정음은 이 나라가 남긴 가장 위대한 문화유산으로 손꼽히고 있어요.

임진왜란 때 이순신 장군 등의 활약으로 이 나라를 지킬 수 있었어요.

	鮮
아침 **조**	고울 **선**

注
부을 주

무엇인가를 들이부어 채워
넣는 것을 나타내어 **붓다** 또는
물을 대다를 뜻해요.

(부수) 氵(水) (획수) 총 8획

(쓰는 순서) 丶 丶 氵 氵 氵 泞 泞 注
注

注	
부을 **주**	부을 **주**
부을 **주**	부을 **주**

晝
낮 주

하루 종일 해(日)가 떠 있어
글을 읽을 수 있는 시간을
나타내어 **낮**을 뜻해요.

(부수) 日 (획수) 총 11획

(쓰는 순서) 기 그 그 글 글 글 書 書
書 書 書 晝

晝	
낮 **주**	낮 **주**
낮 **주**	낮 **주**

集
모을 집

나무(木) 위에 새가 모여
앉는 것을 나타낸 글자로,
모으다를 뜻해요.

(부수) 隹 (획수) 총 12획

(쓰는 순서) ノ イ イ 作 作 作 隹
隹 隹 集 集 集

集	
모을 **집**	모을 **집**
모을 **집**	모을 **집**

어휘力 사전

注 入 入: 들 입
• **주입**: 액체를 흘러 들어가도록 부어 넣
는 것. 암기 위주로 가르치는 것.

注 目 目: 눈 목
• **주목**: 관심을 가지고 주의 깊게 살핌.
조심하고 경계하는 눈으로 살핌.

晝 間 間: 사이 간
• **주간**: 먼동이 터서 해가 지기 전까지의
동안. 낮.

晝 夜 夜: 밤 야
• **주야**: 밤과 낮을 아울러 이르는 말. 쉬
지 않고 계속함.

集 中 中: 가운데 중
• **집중**: 한군데에 모이는 것. 어떤 일에
정신을 모으는 것.

集 計 計: 셀 계
• **집계**: 관계가 있는 사실들을 모두 합하
여 계산하는 것.

😊 다음 한자와 뜻이 비슷한 한자를 찾아 ○표 하세요.

社
모일 사

❶ 注
(　　)

❷ 集
(　　)

❸ 畵
(　　)

😊 다음 밑줄 친 한자의 음을 찾아 번호를 쓰세요.

| ① 집계 | ② 주야 | ③ 주목 | ④ 집중 |

❶ 투표의 集計 결과가 곧 나옵니다. 　　　　　　　　(　　)

❷ 수아는 晝夜로 쉬지 않고 공부합니다. 　　　　　　(　　)

❸ 나는 선생님 말씀을 集中하여 들었습니다. 　　　　(　　)

❹ 이 영화는 사람들에게 注目을 받고 있습니다. 　　　(　　)

교과서 어휘力

😈 빈칸에 알맞은 한자를 써서 발표할 때 올바른 자료 활용 방법을 완성하세요.

발표할 때 올바른 자료 활용 방법

발표가 너무 재미없고 지루해.

발표 자료가 너무 산만해.

듣는 사람의 ❶ ▢ 目 을
부을 주 ｜ 눈 목
끌 수 있는 발표 자료를 준비해요.

듣는 사람이 ❷ ▢ 中 할 수
모을 집 ｜ 가운데 중
있게 적당한 양의 자료를 활용해요.

窓

창 창

창을 통해 밝은 빛이
들어오는 모습으로,
창, 창문을 뜻해요.

淸

맑을 청

물(氵)이 맑고 푸르다(靑)는
것을 나타낸 글자로,
맑다를 뜻해요.

體

몸 체

뼈(骨)를 포함한 모든 것이
갖추어진 몸을 나타낸 글자로,
몸을 뜻해요.

(부수) 穴　　(획수) 총 11획

(쓰는순서) 丶丷宀宀宀穷窌窌窌窓窓窓

窓	
창 **창**	창 **창**
창 **창**	창 **창**

(부수) 氵(水)　　(획수) 총 11획

(쓰는순서) 丶冫氵汀汀汀津清清清清

清	
맑을 **청**	맑을 **청**
맑을 **청**	맑을 **청**

(부수) 骨　　(획수) 총 23획

(쓰는순서) 丨冂冃冃冎骨骨骨骨骨骨體體體體體體體體體體體體體

體	
몸 **체**	몸 **체**
몸 **체**	몸 **체**

어휘力 사전

窓 口　口: 입 구
•**창구**: 창을 내거나 뚫어 놓은 곳.

窓 門　門: 문 문
•**창문**: 빛이 통하게 벽에 낸 문.

淸 風　風: 바람 풍
•**청풍**: 부드럽고 맑게 부는 바람.

淸 明　明: 밝을 명
•**청명**: 날씨가 맑고 밝음.

體 感　感: 느낄 감
•**체감**: 몸으로 어떤 감각을 느낌.

體 力　力: 힘 력
•**체력**: 몸이 어떤 일을 할 수 있는 힘.

다음 한자와 뜻은 같으나 음이 다른 한자를 찾아 ○표 하세요.

身	❶ 窓	❷ 清	❸ 體
몸 신	( )	( )	( )

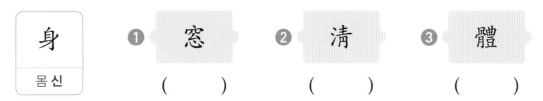 다음 밑줄 친 단어의 한자를 찾아 번호를 쓰세요.

① 窓口	② 體力	③ 清明	④ 窓門

❶ 가을 하늘이 높고 청명합니다.　　　　　　　　　　　　　(　)

❷ 나는 창문을 활짝 열고 환기를 했습니다.　　　　　　　　(　)

❸ 매표소 창구 앞에 사람들이 몰려 있습니다.　　　　　　　(　)

❹ 그 선수는 체력이 좋지 않았지만 정신력으로 우승했습니다. (　)

교과서
어휘力 다음 물건에서 찾을 수 있는 입체 도형의 이름에 알맞은 한자를 쓰세요.

직사각형 여섯 개로
둘러싸인 입체 도형을
찾을 수 있어요.

정사각형 여섯 개로
둘러싸인 입체 도형을
찾을 수 있어요.

❶
直	六	面	
곧을 직	여섯 육	낯 면	몸 체

❷
正	六	面	
바를 정	여섯 육	낯 면	몸 체

親 친할 친

부모가 늘 가까이에서 아이들을
보살핀다는 것을 나타내어
친하다, 가깝다를 뜻해요.

(부수) 見　　(획수) 총 16획

(쓰는 순서) `  ` ` ` ` ` 市 立 立 辛
辛 亲 亲 新 親 親 親
親 親

親	
친할 **친**	친할 **친**
친할 **친**	친할 **친**

太 클 태

큰(大) 것보다 점(丶) 하나만큼
더 크다는 것을 나타낸 글자로,
크다를 뜻해요.

(부수) 大　　(획수) 총 4획

(쓰는 순서) 一 ナ 大 太

太	
클 태	클 태
클 태	클 태

通 통할 통

길이 뻥 뚫려 있어 이동
하기 좋다는 것을 나타낸
글자로, **통하다**를 뜻해요.

(부수) 辶(辵)　　(획수) 총 11획

(쓰는 순서) ` ` ` 予 予 肖 甬
甬 涌 通 通

通	
통할 **통**	통할 **통**
통할 **통**	통할 **통**

어휘力 사전

親 近 近: 가까울 근
• **친근**: 사이가 아주 가깝고 다정함.

親 庭 庭: 뜰 정
• **친정**: 결혼한 여자의 친부모의 집.

太 陽 陽: 볕 양
• **태양**: 태양계의 중심이 되는 큰 별.

太 平 洋 平: 평평할 평　洋: 큰 바다 양
• **태평양**: 세계 5대양 가운데 하나.

通 話 話: 말씀 화
• **통화**: 전화로 말을 주고받음.

通 行 行: 다닐 행
• **통행**: 어떤 장소를 지나다님.

😊 다음 한자의 훈과 음을 찾아 선으로 이으세요.

❶ 太　　　❷ 親　　　❸ 通

친할 친　　　통할 통　　　클 태

😉 다음 밑줄 친 한자의 음을 찾아 번호를 쓰세요.

| ① 통행 | ② 통화 | ③ 친근 | ④ 태양 |

❶ 두 사람은 *親近*한 사이입니다.　　　　　　（　　）

❷ 공공장소에서는 *通話*를 조용히 합니다.　　（　　）

❸ 공사 중이어서 차들의 *通行*이 금지되었습니다.（　　）

❹ 수성은 *太陽*에서 가장 가까이 있는 행성입니다.（　　）

 교과서
어휘力 😈 다음 빈칸에 알맞은 한자를 써서 사자성어를 완성하세요.

 우리는
친구 같은
부자 사이.

한글을 배워서
농사 짓기가 훨씬
편해졌군.

아버지와 자식 사이에는 친함이 있
어야 함을 이르는 말이에요.

어진 임금이 다스리는 평화로운 시
대를 이르는 말이에요.

❶ | 父 | 子 | 有 | |
|---|---|---|---|
| 아비 **부** | 아들 **자** | 있을 **유** | 친할 **친** |

❷ | | 平 | 聖 | 代 |
|---|---|---|---|
| 클 **태** | 평평할 **평** | 성인 **성** | 대신할 **대** |

한자의 훈과 음을 쓰면서 9주에 배운 내용을 복습하세요.

한자	훈	음
太	①	태
定	②	정
庭	뜰	③
集	모을	④
第	⑤	제
族	겨레	⑥
淸	맑을	⑦
親	⑧	친
窓	⑨	창
題	제목	⑩
體	몸	⑪
通	통할	⑫
朝	아침	⑬
注	부을	⑭
晝	⑮	주

6급 기출 문제

[1~16] 다음 밑줄 친 한자어의 음을 쓰세요.

보기

漢字 → 한자

1. 뉴스가 **定時**에 시작했습니다.

2. 나는 무궁화를 **第一** 좋아합니다.

3. 그는 **民族**의 영웅으로 불립니다.

4. **通話**는 짧고 간단하게 해야 합니다.

5. 그는 행복한 **家庭**에서 태어났습니다.

6. **注入**식 교육은 크게 효과가 없습니다.

7. **窓門** 근처에 예쁜 화분을 두었습니다.

8. 우리나라는 **太平洋**의 북서쪽에 있습니다.

9. 설문 조사 결과를 **集計**하여 보고했습니다.

10. 바람이 불어서 **體感** 온도가 낮아졌습니다.

11. 호텔에서 무료 **朝食**을 제공해 주었습니다.

12. **淸明**한 하늘을 보니 마음까지 상쾌해집니다.

13. 그녀는 **親庭** 근처에 신혼집을 마련하였습니다.

14. 환경 오염 **問題**는 가장 먼저 해결되어야 합니다.

15. 그의 화려한 옷차림은 많은 사람의 **注目**을 끌었습니다.

16. 아버지께서는 **晝間**에 해야 하는 작업을 끝마치지 못하셨습니다.

[17~18] 다음 한자의 훈과 음을 쓰세요.

17. 族

18. 庭

[19~20] 다음 한자의 반대 또는 상대되는 한자를 골라 그 번호를 쓰세요.

19. 夕 : ① 淸 ② 朝 ③ 通

20. 夜 : ① 晝 ② 親 ③ 族

[21~22] 다음 한자와 뜻이 비슷한 한자를 골라 그 번호를 쓰세요.

21. 第 : ① 番 ② 通 ③ 窓

22. 大 : ① 小 ② 中 ③ 太

[23~24] 다음 중 소리는 같으나 뜻이 다른 한자를 골라 그 번호를 쓰세요.

23. 定 : ① 庭 ② 族 ③ 體

24. 題 : ① 第 ② 朝 ③ 注

[25~26] 다음 □ 안에 알맞은 한자를 보기 에서 찾아 그 번호를 쓰세요.

보기
① 親　② 淸　③ 體　④ 通

25. 一方□行 : 일정한 구간을 지정하여 한 방향으로만 가도록 하는 일.

26. 父子有□ : 아버지와 자식 사이에는 친함이 있어야 함을 이르는 말.

[27~28] 다음 뜻에 맞는 한자어를 보기 에서 찾아 그 번호를 쓰세요.

보기
① 淸風　② 題目　③ 安定　④ 窓口

27. 부드럽고 맑게 부는 바람.

28. 글이나 책·그림·노래 등에서 그것의 내용을 보이거나 대표하는 이름.

[29~30] 다음 한자의 짙게 표시한 획은 몇 번째 쓰는 획인지 보기 에서 찾아 그 번호를 쓰세요.

보기
① 첫 번째　② 두 번째　③ 세 번째
④ 네 번째　⑤ 다섯 번째　⑥ 여섯 번째

29. 注

30. 太

물의 세 가지 상태

물은 세 가지 상태로 존재해요. 그 상태에 따라 부피, 모양, 성질 등이 변하는데, 이들을 구분할 때에는 '體(체)' 자를 써서 固體(고체), 液體(액체), 氣體(기체)라고 해요. 우리 생활 속에서 물의 세 가지 형태를 찾아볼까요?

固體(고체)
얼음과 같이 일정한 모양과 부피가 있어요.

液體(액체)
물과 같이 일정한 모양은 없지만 부피가 있어요.

氣體(기체)
수증기와 같이 일정한 모양과 부피가 없어요.

나는 딱딱한 고체가 될 거야.

나는 흐르는 액체가 될 거야.

나는 가벼운 기체가 되어야지.

이러한 물의 상태는 온도에 따라 변해요. 물이 액체인 상태에서 온도가 높아지면 기체, 온도가 낮아지면 고체로 변화한다는 것을 알아 두어요.

기체

액체

고체

10주

1일	特 특별할 특 	表 겉 표	風 바람 풍
2일	合 합할 합	幸 다행 행 	行 다닐 행/항렬 항
3일	向 향할 향	現 나타날 현	形 모양 형
4일	號 이름 호	和 화할 화	畫 그림 화/그을 획
5일	黃 누를 황	會 모일 회	訓 가르칠 훈

特
특별할 특

옛날 관청에서 특별한 일이
있을 때 큰 소를 바쳤다는 데서
특별하다를 뜻해요.

表
겉 표

겉에 입는 털이 난 옷(衤)을
나타낸 글자로,
겉, 바깥을 뜻해요.

風
바람 풍

바람이 불면 벌레와 같은
생물들이 움직인다는 데서
바람을 뜻해요.

（부수）牛　　（획수）총 10획

（쓰는 순서）특별할 특 ノ ナ 牛 牜 牜 牲 特 特 特 特

特	
특별할 **특**	특별할 **특**
특별할 **특**	특별할 **특**

（부수）衣　　（획수）총 8획

（쓰는 순서）一 十 キ 主 丰 丰 表 表

表	
겉 **표**	겉 **표**
겉 **표**	겉 **표**

（부수）風　　（획수）총 9획

（쓰는 순서）丿 几 凡 凡 凨 風 風 風 風

風	
바람 **풍**	바람 **풍**
바람 **풍**	바람 **풍**

어휘力 사전

特 使 使: 하여금/부릴 사
• **특사**: 국가에서 특별한 임무를 주어 외국에 파견하는 사람.

特 色 色: 빛 색
• **특색**: 보통의 것과 다른 점.

表 現 現: 나타날 현
• **표현**: 생각이나 느낌을 말, 글, 예술 작품 등으로 나타냄.

表 面 面: 낯 면
• **표면**: 사물의 가장 바깥쪽.

風 聞 聞: 들을 문
• **풍문**: 바람결에 들리는 소문. 떠도는 소문.

風 速 速: 빠를 속
• **풍속**: 바람의 속도.

😊 다음 한자의 음을 쓰세요.

❶ 表　　　❷ 風　　　❸ 特

(　)　　　(　)　　　(　)

😄 다음 밑줄 친 단어의 한자를 찾아 번호를 쓰세요.

① 表現　　② 風聞　　③ 特色　　④ 風速

❶ 그 가게 안은 특색 있게 꾸며져 있습니다. 　　　　(　)

❷ 태풍은 풍속이 강하고 폭우를 몰고 옵니다. 　　　　(　)

❸ 다른 사람에게 자신의 마음을 표현하는 일은 어렵습니다. (　)

❹ 수연이가 이번에는 일등을 했다는 풍문이 들려왔습니다. (　)

교과서 **어휘力** 😈 다음 빈칸에 알맞은 한자를 써서 사자성어를 완성하세요.

동풍이 말의 귀를 스쳐 간다는 뜻으로, 남의 말에 귀 기울이지 않고 흘려버림을 뜻해요.

馬	耳		東
말 마	귀 이		동녘 동	바람 풍

❶

겉과 속이 같지 않다는 뜻으로, 겉으로는 속마음과 다르게 말하거나 행동함을 뜻해요.

	裏	不	同
겉 표	속 리	아닐 부	한가지 동

❷

合 합할 합

그릇의 뚜껑을 덮어 몸통 부분과 맞춘다는 데서 **합하다**를 뜻해요.

幸 다행 행

일찍 죽지 않는 것이 다행이라는 뜻을 나타낸 글자로, **다행**을 뜻해요.

行 다닐 행

왼발과 오른발을 차례로 옮겨 걷는 모습을 나타낸 글자로, **다니다**를 뜻해요.

（부수）口　（획수）총 6획
（쓰는순서）ノ 人 人 스 슈 合 合

合 합할 **합**	합할 **합**
합할 **합**	합할 **합**

（부수）干　（획수）총 8획
（쓰는순서）一 十 土 土 击 击 幸 幸

幸 다행 **행**	다행 **행**
다행 **행**	다행 **행**

（부수）行　（획수）총 6획
（쓰는순서）ノ ノ 彳 彳 行 行

行 다닐 **행**/항렬 **항**	다닐 **행**/항렬 **항**
다닐 **행**/항렬 **항**	다닐 **행**/항렬 **항**

＊行은 '항렬 항'으로도 쓰여요.

어휘力 사전

合 計　計: 셀 계
• **합계**: 여러 수나 양을 모두 합해 셈한 값.

合 意　意: 뜻 의
• **합의**: 서로 의견이 맞음.

不 幸　不: 아닐 불
• **불행**: 행복하지 않음.

多 幸　多: 많을 다
• **다행**: 뜻밖에 일이 잘되어 운이 좋음.

行 方　方: 모 방
• **행방**: 간 곳이나 방향.

行 動　動: 움직일 동
• **행동**: 몸을 움직여 동작이나 어떤 일을 함.

😊 다음 한자 중 음이 같은 한자 두 개를 찾아 ○표 하세요.

❶ 　行　 ❷ 　合　 ❸ 　幸　

（ 　　　 ） （ 　　　 ） （ 　　　 ）

😊 다음 밑줄 친 한자의 음을 찾아 번호를 쓰세요.

① 불행	② 행동	③ 합계	④ 합의

❶ 말과 **行動**이 일치해야 합니다. （ 　　 ）

❷ 이 물건들의 **合計**는 얼마입니까? （ 　　 ）

❸ 양국 정상이 모여 그 문제에 대하여 **合意**하였습니다. （ 　　 ）

❹ 우리 모두 노력해서 교통사고로 인한 **不幸**을 막읍시다. （ 　　 ）

교과서 어휘力 😈 다음 내용을 보고 빈칸에 알맞은 한자를 쓰세요.

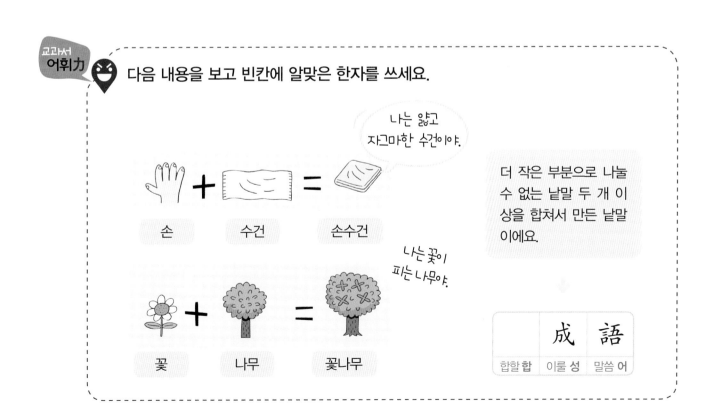

나는 얇고 자그마한 수건이야.

손　　수건　　손수건

나는 꽃이 피는 나무야.

꽃　　나무　　꽃나무

더 작은 부분으로 나눌 수 없는 낱말 두 개 이상을 합쳐서 만든 낱말이에요.

成	語
합할 합 이룰 성	말씀 어

向 향할 향

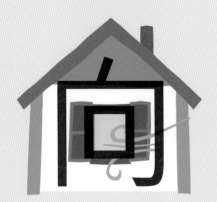

바람이 들어오는 방향에 창문이
있는 집의 모습을 나타낸
글자로, **향하다**를 뜻해요.

現 나타날 현

잘 갈고 닦은 옥(玉)은
아름다운 빛깔이 드러난다는
데서 **나타나다**를 뜻해요.

形 모양 형

털(彡)의 무늬, 모양이 뚜렷하게
보인다는 것을 나타낸 글자로,
모양을 뜻해요.

(부수) 口　　(획수) 총 6획
(쓰는 순서) ノ ノ 向 向 向 向

| 향할 **향** | 향할 **향** |
| 향할 **향** | 향할 **향** |

(부수) 王(玉)　　(획수) 총 11획
(쓰는 순서) 一 二 三 王 刌 玕 珇 珇 珇 現 現

| 나타날 **현** | 나타날 **현** |
| 나타날 **현** | 나타날 **현** |

(부수) 彡　　(획수) 총 7획
(쓰는 순서) 一 二 于 开 形 形 形

| 모양 **형** | 모양 **형** |
| 모양 **형** | 모양 **형** |

어휘力 사전

方 向　方: 모 방
- **방향**: 무엇이 나아가거나 향하는 쪽.

向 上　上: 윗 상
- **향상**: 실력, 수준, 기술 등이 나아짐.

現 場　場: 마당 장
- **현장**: 어떤 일이 직접 일어난 장소.

現 代　代: 대신할 대
- **현대**: 오늘날의 시대.

地 形　地: 땅 지
- **지형**: 땅의 생긴 모양.

形 式　式: 법 식
- **형식**: 사물이 겉으로 나타나 보이는 모양.

😊 다음 한자의 훈과 음을 찾아 선으로 이으세요.

❶ 現　　❷ 形　　❸ 向

나타날 현　　향할 향　　모양 형

😊 다음 밑줄 친 단어의 한자를 찾아 번호를 쓰세요.

① 方向　　② 向上　　③ 現場　　④ 地形

❶ 세월이 흘러 지형이 변했습니다. 　　　　　　(　　)

❷ 나는 길을 잘못 들어 방향을 잃었습니다. 　　(　　)

❸ 친구의 국어 실력이 눈에 띄게 향상되었습니다. (　　)

❹ 사건 발생 현장에 직접 가 보니 매우 처참했습니다. (　　)

교과서 어휘力 😄 다음은 무엇에 대한 사진인지 빈칸에 알맞은 한자를 쓰세요.

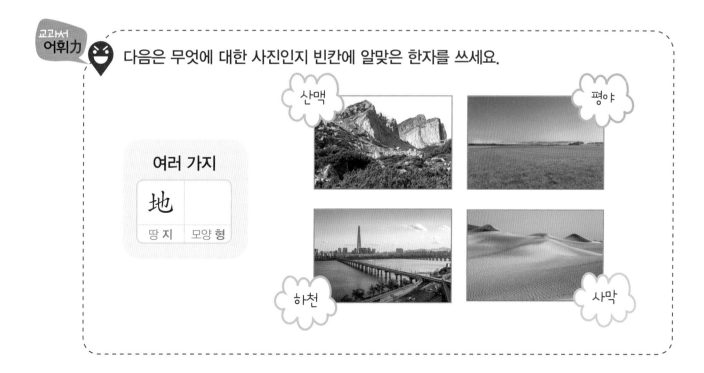

여러 가지

地	
땅 지	모양 형

산맥　평야　하천　사막

號
이름 호

和
화할 화

畵
그림 화

호랑이가 큰 소리로 외치는 것을 나타낸 글자로, **이름, 부르다**를 뜻해요.

수확한 벼를 여럿이 나누어 먹는다는 데서 **화목하다, 조화롭다**를 뜻해요.

붓으로 도화지에 그림을 그리는 것을 나타낸 글자로, **그림**을 뜻해요.

(부수) 虍 (획수) 총 13획

(쓰는 순서) ` ` ` 口 口 号 号 号 号 号 號 號 號 號 號

號	號
이름 호	이름 호
이름 호	이름 호

(부수) 口 (획수) 총 8획

(쓰는 순서) ` 一 二 千 千 禾 禾 和 和

和	
화할 화	화할 화
화할 화	화할 화

(부수) 田 (획수) 총 12획

(쓰는 순서) ` 一 ㄱ ㅋ ㅋ ㅋ 聿 聿 書 書 書 書 畵

畵	
그림 화/그을 획	그림 화/그을 획
그림 화/그을 획	그림 화/그을 획

*畵는 '그을 획'으로도 쓰여요.

 어휘力 사전

記 號 記: 기록할 기
• **기호**: 어떠한 뜻을 나타내기 위해 쓰이는 부호나 문자.

口 號 口: 입구
• **구호**: 요구나 주장 등을 나타내는 짧은 말이나 글.

和 合 合: 합할 합
• **화합**: 사람들이 사이좋고 화목하게 어울리는 것.

平 和 平: 평평할 평
• **평화**: 평온하고 화목함. 전쟁이나 갈등이 없이 평온함.

畵 家 家: 집 가
• **화가**: 예술적인 그림을 그리는 일을 전문으로 하는 사람.

畵 面 面: 낯 면
• **화면**: 텔레비전이나 컴퓨터 등에서 그림이나 영상이 나타나는 면.

다음 한자와 뜻이 반대되는 한자를 골라 ○표 하세요.

| 戰 | | ❶ 號 | ❷ 和 | ❸ 畫 |
| 싸움 **전** | | ( ) | ( ) | ( ) |

다음 밑줄 친 한자의 음을 찾아 번호를 쓰세요.

> ① 화가   ② 평화   ③ 구호   ④ 기호

❶ 시위대는 **口號**를 크게 외쳤습니다.   ( )

❷ 수학에는 여러 가지 **記號**들이 있습니다.   ( )

❸ 우리나라의 **平和** 통일이 실현되기를 바랍니다.   ( )

❹ 그림 그리기를 좋아하는 저의 꿈은 **畫家**입니다.   ( )

黄
누를 황

會
모일 회

訓
가르칠 훈

땅(田)을 비추는 빛(光)이 누렇다는 것을 나타낸 글자로, **누렇다**를 뜻해요.

쌀을 찌는 그릇이 뚜껑과 만나는 모습을 나타낸 글자로, **모이다**를 뜻해요.

바른 말(言)로 다른 사람에게 알아듣게 이야기하다라는 데서 **가르치다**를 뜻해요.

(부수) 黃　(획수) 총 12획

(쓰는 순서) 一 十 卄 卝 芒 芢 苧 苩 苩 黃 黃 黃

黃	
누를 **황**	누를 **황**
누를 **황**	누를 **황**

(부수) 曰　(획수) 총 13획

(쓰는 순서) ノ 人 人 人 今 合 命 侖 侖 侖 侖 會 會 會

會	
모일 **회**	모일 **회**
모일 **회**	모일 **회**

(부수) 言　(획수) 총 10획

(쓰는 순서) 丶 一 亠 言 言 言 言 訂 訓 訓

訓	
가르칠 **훈**	가르칠 **훈**
가르칠 **훈**	가르칠 **훈**

 어휘力 사전

黃 金　金: 쇠 금
●**황금**: 누런빛의 금이라는 뜻으로, 금을 다른 금속과 구별하여 이르는 말.

黃 土　土: 흙 토
●**황토**: 누렇고 거무스름한 흙.

會 合　合: 합할 합
●**회합**: 어떤 목적을 위하여 여럿이 모이는 일.

會 長　長: 긴 장
●**회장**: 모임의 우두머리이고, 모임을 대표하는 사람.

敎 訓　敎: 가르칠 교
●**교훈**: 앞으로의 행동이나 생활에 도움이 될 만한 가르침.

家 訓　家: 집 가
●**가훈**: 한 집안에서 자손들을 가르치는 일정한 교훈.

다음 한자와 뜻이 비슷한 한자를 찾아 ◯표 하세요.

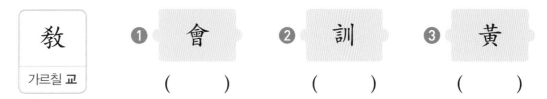

教
가르칠 교

❶ 會
( )

❷ 訓
( )

❸ 黃
( )

 다음 밑줄 친 단어의 한자를 찾아 번호를 쓰세요.

① 會長　　② 黃土　　③ 家訓　　④ 會合

❶ 우리집 가훈은 '정직'입니다.　　　　　　　　　( )

❷ 황토로 지은 집은 시원합니다.　　　　　　　　( )

❸ 선미는 회장 선거에 출마했습니다.　　　　　　( )

❹ 여러 기업의 대표들이 회합을 가졌습니다.　　　( )

교과서 어휘力 다음 내용을 보고 빈칸에 알맞은 한자를 쓰세요.

沙
누를 황 | 모래 사
에 대처하는 방법

가능하면 외출을 하지 않아요.

꼭 외출을 해야 한다면 마스크를 써요.

외출 후에는 몸의 먼지를 잘 털어 줘요.

한자의 훈과 음을 쓰면서 10주에 배운 내용을 복습하세요.

한자	훈	음
風	바람	1
合	2	합
幸	3	행
和	화할	4
表	5	표
行	다닐/항렬	6
向	7	향
會	모일	8
黃	9	황
訓	가르칠	10
號	이름	11
畫	12	화/획
形	모양	13
特	14	특
現	나타날	15

[1~16] 다음 밑줄 친 한자어의 음을 쓰세요.

보기

漢字 → 한자

1. 유리 **表面**이 매끄럽습니다.

2. **口號**를 외치면 큰 힘이 납니다.

3. 오늘은 화학 **記號**를 배웠습니다.

4. 가을에는 논밭이 **黃金**빛이 됩니다.

5. 제가 만든 작품은 **特色**이 있습니다.

6. 학교로 가는 **方向**은 어느 쪽입니까?

7. 그는 **行動**이 느리고 조용한 편입니다.

8. 청소 시간을 **合意**하여 결정했습니다.

9. 고종은 헤이그 **特使**를 파견했습니다.

10. 큰 문제없이 일이 해결되어 **多幸**입니다.

11. **會長**은 책임감이 많은 사람이 해야 합니다.

12. 나는 독서 감상문을 시 **形式**으로 썼습니다.

13. 실패를 **敎訓**으로 삼아 앞으로 나아가야 합니다.

14. 매일 운동을 했더니 달리기 실력이 **向上**되었습니다.

15. **畫家**는 그림 그리는 것을 직업으로 하는 사람을 말합니다.

16. 이틀 동안 농촌에서 직접 농사일을 하며 **現場** 체험을 했습니다.

[17~18] 다음 한자의 훈과 음을 쓰세요.

17. 號

18. 訓

[19~20] 다음 한자의 반대 또는 상대되는 한자를 골라 그 번호를 쓰세요.

19. 分: ① 特 ② 合 ③ 行

20. 消: ① 和 ② 形 ③ 現

[21~22] 다음 한자와 뜻이 비슷한 한자를 골라 그 번호를 쓰세요.

21. 名: ① 號 ② 向 ③ 合

22. 敎: ① 黃 ② 現 ③ 訓

[23~24] 다음 중 소리는 같으나 뜻이 다른 한자를 골라 그 번호를 쓰세요.

23. 兄: ① 表 ② 現 ③ 形

24. 花: ① 特 ② 號 ③ 和

[25~26] 다음 □ 안에 알맞은 한자를 보기 에서 찾아 그 번호를 쓰세요.

보기

① 幸 ② 形 ③ 合 ④ 風

25. □形色色 : 형상과 빛깔 따위가 서로 다른 여러 가지.

26. 馬耳東□ : 동풍이 말의 귀를 스쳐 간다는 뜻으로, 남의 말을 귀담아듣지 않고 흘림.

[27~28] 다음 뜻에 맞는 한자어를 보기 에서 찾아 그 번호를 쓰세요.

보기

① 表現 ② 向上 ③ 合計 ④ 和合

27. 사람들이 사이좋고 화목하게 어울림.

28. 생각이나 느낌을 말이나 몸짓으로 나타냄.

[29~30] 다음 한자의 짙게 표시한 획은 몇 번째 쓰는 획인지 보기 에서 찾아 그 번호를 쓰세요.

보기

① 첫 번째 ② 두 번째 ③ 세 번째
④ 네 번째 ⑤ 다섯 번째 ⑥ 여섯 번째

29. 合

30. 幸

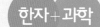

쏙 교과서 한자 • 바닷가에서의 바람

한자 風(풍)은 바람을 뜻하는 글자예요. 그래서 바람을 의미하는 낱말에는 風(풍)이 붙는 경우가 많은데, 바다에서 부는 바람도 역시 風(풍)을 붙여서 이름을 만들었어요.

낮에는 육지의 온도가 바다보다 더 높아요. 그래서 육지의 뜨거워진 공기가 위로 올라가면 그 빈 공간을 채우기 위해 바다의 찬 공기가 육지 쪽으로 이동하게 되는데, 이것을 海風(해풍)이라고 해요. 반대로 밤에는 바다의 온도가 육지보다 더 높아요. 그래서 이번엔 육지에서 바다로 공기가 이동하는데, 이것을 陸風(육풍)이라고 한답니다.

해풍과 육풍에 대해 배웠으니 앞으로 바다에 놀러 가게 된다면 낮과 밤에 바람의 방향이 어떻게 다른지 한번 느껴 보도록 해요.

모의 한자능력검정시험

6급II

6급

모의 한자능력검정시험 실시 유의 사항

● 모의시험은 이 책을 모두 학습한 다음에 풀어 보세요.

● 실제 시험에서와 같이 시간을 지켜 풀어 보세요.

● 답안지를 작성할 때는 실제 시험과 똑같이 검정색 볼펜을 사용하세요.

● 글씨가 채점란으로 들어오면 오답 처리되므로, 글씨를 정답 칸 안에 또박또박 쓰세요.

● 모의시험을 마치면 정답을 보고 채점하여 실력을 확인해 보세요.

・ 출제 기준: ㈜ 한국어문회 한자능력검정시험

・ 시험 시간: 50분　・ 출제 문항: 80문항/90문항

모의 한자능력검정시험 6급II 문제지 ①회

80문항 | 50분 시험 | 시험 일자: 20●●.●●.●●

*성명과 수험 번호를 쓰고 문제지와 답안지는 함께 제출하세요.

성명 〔　　　　　〕　　수험 번호 ●●● - ●● - ●●●●

[1~32] 다음 밑줄 친 漢字語의 讀音을 쓰세요.

> 漢字 → 한자

1. 어르신께서 얼른 **氣力**을 찾으시기를 바랍니다.

2. 과학 기술의 발달로 생활이 **便利**해졌습니다.

3. 우리는 하나뿐인 **地球**를 아끼고 보존해야 합니다.

4. 이 영화는 올해의 영화상 **部門**에 후보로 올랐습니다.

5. 이 산에는 쉽게 볼 수 없는 다양한 **植物**이 있습니다.

6. **今年**에는 가뭄이 심해서 제때에 모를 심지 못했습니다.

7. 다음 주에 있을 시험에 대비해 **工夫**를 열심히 했습니다.

8. 나는 배가 아파서 **內科**에 가서 진료를 받았습니다.

9. 큰딸이 **家業**을 이어받아 계속 장사를 하고 있습니다.

10. 태풍의 영향으로 전국에 **強風**이 불고 있습니다.

11. 투표를 통해 우리 학교의 **代表**를 뽑았습니다.

12. 게으름을 피우지 말고 **各自**가 맡은 일을 부지런히 합시다.

13. 차들이 소방차가 지나갈 수 있게 **車線**을 양보하였습니다.

14. 우리 **先祖**들은 24절기로 계절을 구분했습니다.

15. 아버지께서는 오랜만에 초등학교 **同窓**을 만나고 오셨습니다.

16. 이 길을 따라 가면 목적지에 **安全**하게 도착할 수 있습니다.

17. **身分**에 따른 차별이 없어야 합니다.

18. 빈칸에 성함과 <u>住所</u>를 정확하게 써 주시기 바랍니다.

19. 이번주 금요일이면 여름 <u>放學</u>이 시작됩니다.

20. 건물의 <u>消火</u> 설비를 점검하고 있습니다.

21. <u>休日</u>에 오랫동안 보지 못한 친구들을 만났습니다.

22. 어른들 앞에서 버릇없는 <u>行動</u>을 하면 안 됩니다.

23. 당신에게 <u>幸運</u>이 깃들기를 바랍니다.

24. 선생님의 깜짝 <u>登場</u>으로 아이들은 모두 놀랐습니다.

25. 얼마 전 친구에게 보낸 편지에 <u>答信</u>이 왔습니다.

26. 모두 그 일을 해결할 <u>方道</u>가 있는지 궁금해했습니다.

27. 그는 <u>反省</u>하기는커녕 도리어 화를 냈습니다.

28. 어머니께서는 가끔씩 <u>電話</u>로 할머니의 안부를 물으십니다.

29. 이 가게는 좁은 <u>空間</u>을 잘 활용하여 꾸며 놓았습니다.

30. 건물의 설계 <u>圖面</u>을 다시 한번 확인해 보았습니다.

31. 다소 <u>不足</u>한 점이 있더라도 양해 부탁드립니다.

32. 이 책을 읽은 사람이 <u>果然</u> 몇 명이나 될지 궁금합니다.

[33~61] 다음 漢字의 訓과 音을 쓰세요.

 字 → 글자 자

33. 對

34. 孝

35. 韓

36. 昨

37. 小

38. 男

39. 聞

40. 明

41. 紙

42. 書

43. 路

44. 秋

45. 雪

46. 注

47. 意

48. 太

49. 公

50. 界

51. 每

52. 新

53. 交

54. 愛

55. 堂

56. 邑

57. 作

58. 術

59. 體

60. 形

61. 第

[62~63] 다음 중 뜻이 서로 반대(상대)되는 漢字끼리 연결되지 않은 것을 고르세요.

62. ① 生 ↔ 死　　② 少 ↔ 多
　　③ 直 ↔ 正　　④ 先 ↔ 後

63. ① 左 ↔ 右　　② 長 ↔ 短
　　③ 出 ↔ 入　　④ 日 ↔ 天

[64~65] 다음 문장에 어울리는 漢字語가 되도록 ( ) 안에 알맞은 漢字를 보기 에서 찾아 그 번호를 쓰세요.

보기
① 花　② 靑　③ 公　④ 算

64. ( )用 물건이므로 깨끗이 사용하고 제자리에 놓아 두어야 합니다.

65. 計( )은 현금과 카드 모두 사용 가능합니다.

[66~67] 다음 뜻에 맞는 漢字語를 [보기]에서 찾아 그 번호를 쓰세요.

[보기]
① 言語　② 區別　③ 讀書
④ 發表　⑤ 事物　⑥ 學習

66. 어떤 사실이나 결과 따위를 세상에 널리 드러내어 알림.

67. 성질이나 종류에 따라 갈라놓음.

[68~77] 다음 밑줄 친 漢字語를 漢字로 쓰세요.

68. 부모를 공경하며 살아야 합니다.

69. 댐을 짓기 위해서 토목 공사를 시작했습니다.

70. 지난 삼월에 우리 동네 도서관이 문을 열었습니다.

71. 여기는 조선의 왕실이 있던 곳입니다.

72. 외삼촌과 함께 동해로 여행을 갔습니다.

73. 아버지께서는 어제 외국으로 출장을 가셨습니다.

74. 이순신 장군은 얼마 남지 않은 수군을 이끌고 바다로 나갔습니다.

75. 입동이 지나자 매서운 추위가 몰려왔습니다.

76. 눈 앞에 백색의 설원이 펼쳐졌습니다.

77. 아이들은 교육을 받을 권리가 있습니다.

[78~80] 다음 漢字의 짙게 표시한 획은 몇 번째 쓰는 획인지 [보기]에서 찾아 그 번호를 쓰세요.

[보기]
① 첫 번째　② 두 번째
③ 세 번째　④ 네 번째
⑤ 다섯 번째　⑥ 여섯 번째
⑦ 일곱 번째　⑧ 여덟 번째
⑨ 아홉 번째　⑩ 열 번째

78. 後

79. 紙

80. 班

모의 한자능력검정시험 6급 문제지 1회

6급 90문항 | 50분 시험 | 시험 일자: 20●●.●●.●●
※성명과 수험번호를 쓰고 문제지와 답안지는 함께 제출하세요.

성명 ▢▢▢▢   수험 번호 ●●●-●●-●●●●●

[1~33] 다음 밑줄 친 漢字語의 讀音을 쓰세요.

> 漢字 → 한자

1. 할머니께서는 **老人** 대학에 다니십니다.

2. 모든 인간은 **平等**합니다.

3. **分數**의 덧셈과 뺄셈을 배웠습니다.

4. 전교 학생들이 운동장에서 **校歌**를 우렁차게 불렀습니다.

5. 오늘날에는 모든 분야가 **急速**하게 발전하고 있습니다.

6. 우리 집안 대대로 이어져 온 가훈은 **正直**과 성실입니다.

7. 동굴 속에 **金銀**보화가 산처럼 쌓여 있었습니다.

8. 라디오에서 신나는 **音樂**이 흘러 나오자 기분이 좋아졌습니다.

9. **午前** 내내 비가 와서 체육 대회가 취소되었습니다.

10. 아담한 **庭園**에 작은 연못과 꽃밭이 어울려 있습니다.

11. 오늘부터 **夏服**을 입습니다.

12. 강물에 **夕陽**이 내려앉고 있었습니다.

13. 사촌 동생은 아직 어려서 스스로 **用便**을 가리지 못합니다.

14. 식당에 자리가 없어 처음 본 사람과 **合席**을 했습니다.

15. 이 작업은 정밀해서 **高度**의 집중력을 요구합니다.

16. 세종 대왕은 글을 읽지 못하는 **百姓**을 위해 한글을 창제했습니다.

17. 이번 산사태로 피해를 입은 사람의 수를 **集計**하는 중입니다.

18. 신호등에 **綠色**등이 켜지면 길을 건너야 합니다.

19. 이 학교에는 **英才**들을 위한 특수 교육 과정이 준비되어 있습니다.

20. <u>現在</u> 점수 상황은 동점입니다.

21. 임금은 <u>西洋</u> 문물을 받아들이는 것을 거부했습니다.

22. 키 순서대로 <u>番號</u>를 정했습니다.

23. 저 나무 뒤의 좁은 길이 바로 비밀 <u>通路</u>입니다.

24. 여름에는 짧은 <u>下衣</u>를 입습니다.

25. 글의 <u>題目</u>은 글의 내용과 잘 어울려야 합니다.

26. 까닭은 의견을 뒷받침하는 사실이나 <u>理由</u>를 뜻합니다.

27. 진시황은 <u>永遠</u>히 살고 싶은 마음에 불로초를 구하려고 했습니다.

28. 어머니께서는 <u>溫和</u>한 성격이십니다.

29. 산에 <u>樹林</u>이 우거져 있습니다.

30. 그 선수는 어린 나이임에도 불구하고 <u>頭角</u>을 드러냈습니다.

31. 예절의 <u>根本</u> 정신은 상대방에 대한 존중입니다.

32. 우리 집은 <u>南向</u>이기 때문에 난방비가 절약됩니다.

33. 우리 팀은 경기에서 졌지만 <u>勝者</u>에게 박수를 보내며 축하해 주었습니다.

[34~55] 다음 漢字의 訓과 音을 쓰세요.

보기

字 → 글자 자

34. 村

35. 感

36. 神

37. 美

38. 苦

39. 親

40. 萬

41. 京

42. 戰

43. 多

44. 禮

45. 郡

46. 待

47. 區

48. 童

49. 愛

50. 班

51. 始

52. 例

53. 近

54. 勇

55. 黃

[56~75] 다음 밑줄 친 漢字語를 漢字로 쓰세요.

보기
> 한자 → 漢字

56. 거리에는 시민들이 북적거렸습니다.

57. 우리 형제는 닮았다는 말을 많이 듣습니다.

58. 백화점은 입구가 여러 곳에 있습니다.

59. 길을 건너기 전에 좌우를 잘 살펴야 합니다.

60. 내년에 동생이 초등학교에 입학합니다.

61. 이번 방학에는 자연을 느끼고 싶습니다.

62. 책상을 만들려고 목수를 찾아갔습니다.

63. 비행기가 공중에서 묘기를 부렸습니다.

64. 우리는 매일 아침 체조를 합니다.

65. 김구 선생은 독립을 위해 교육에 힘써야 한다고 했습니다.

66. 비가 오니 실내에서 놀아라.

67. 아버지께서는 휴가 기간 동안 동료에게 후사를 부탁하셨습니다.

68. 그는 자전거를 타고 세상 곳곳을 돌아다니는 것이 꿈입니다.

69. 친구와 내가 동시에 결승점에 들어왔습니다.

70. 시간은 천금보다 더 소중한 것입니다.

71. 주연이가 화초에 물을 주었습니다.

72. 아버지께서는 서울의 강북에서 강남으로 매일 출근하십니다.

73. 그가 이 집의 주인입니다.

74. 운동장에서 국기가 휘날리고 있습니다.

75. 친구는 예전에 도움을 준 일로 온갖 생색을 냈습니다.

[76~78] 다음 漢字의 반대 또는 상대되는 漢字를 골라 그 번호를 쓰세요.

76. 問: ① 答 ② 體 ③ 心 ④ 事

77. 近: ① 算 ② 遠 ③ 高 ④ 大

78. 古: ① 本 ② 身 ③ 今 ④ 地

[79~80] 다음 漢字와 뜻이 비슷한 漢字를 골라 그 번호를 쓰세요.

79. 服: ① 衣 ② 手 ③ 校 ④ 口

80. 分: ① 在 ② 活 ③ 區 ④ 合

[81~83] 다음 ( ) 안에 알맞은 漢字를 보기에서 찾아 그 번호를 쓰세요.

보기
① 中 ② 作 ③ 洞 ④ 同
⑤ 昨 ⑥ 重 ⑦ 冬 ⑧ 成

81. 春夏秋( ): 봄, 여름, 가을, 겨울의 네 계절.

82. ( )心三日: 단단히 먹은 마음이 사흘을 가지 못함.

83. 十( )八九: 열 가운데 여덟이나 아홉. 거의 대부분 그러함.

[84~85] 다음 중 소리(音)는 같으나 뜻(訓)이 다른 漢字를 골라 그 번호를 쓰세요.

84. 反: ① 放 ② 不 ③ 半 ④ 米

85. 事: ① 社 ② 山 ③ 成 ④ 消

[86~87] 다음 뜻에 맞는 漢字語를 보기에서 찾아 그 번호를 쓰세요.

보기
① 消失 ② 平行 ③ 電線
④ 平地 ⑤ 工夫 ⑥ 電球

86. 바닥이 고르게 펀펀한 땅.

87. 전기의 힘으로 빛을 내는 기구.

[88~90] 다음 漢字의 짙게 표시한 획은 몇 번째 쓰는 획인지 보기에서 찾아 그 번호를 쓰세요.

보기
① 첫 번째 ② 두 번째
③ 세 번째 ④ 네 번째
⑤ 다섯 번째 ⑥ 여섯 번째
⑦ 일곱 번째 ⑧ 여덟 번째

88. 民

89. 物

90. 集

[1~33] 다음 밑줄 친 漢字語의 讀音을 쓰세요.

 보기

漢字 → 한자

1. 가을 하늘이 淸明합니다.

2. 野外무대에서 하는 공연을 보았습니다.

3. 食堂에서 점심을 먹었습니다.

4. 벌써 立冬이 지나고 추운 겨울이 되었습니다.

5. 우리 팀 신인 투수는 球速이 무척 빠릅니다.

6. 마을 靑年들이 모두 모여 줄다리기 줄을 만들기 위해 짚을 모았습니다.

7. 우리나라의 國軍은 육군, 공군, 해군으로 구성되어 있습니다.

8. 항상 所信을 가지고 자신이 맡은 일을 해야 합니다.

9. 글의 내용을 정확하게 파악하려면 글쓴이의 意圖를 잘 파악해야 합니다.

10. 5월은 家庭의 달입니다.

11. 人力車는 사람이 끄는 바퀴가 두 개 달린 수레를 말합니다.

12. 바깥 공기가 맑아서 窓門을 열었습니다.

13. 나는 勇氣를 내어 친구에게 말을 걸었습니다.

14. 항해사는 나침반을 使用해서 항로를 찾았습니다.

15. 來年이 되면 할아버지께서는 칠순이 되십니다.

16. 경주는 신라의 유적지로 有名해서 관광객들이 많이 방문합니다.

17. 어려서부터 讀書하는 습관을 길러야 합니다.

18. 우리 회사는 신제품 開發에 온 힘을 쏟고 있습니다.

19. 큰 불이 나서 절에 있던 문화재가 消失되었습니다.

20. 누나는 대학에서 **醫學**을 공부했습니다.

21. **農事**철에는 서로 도와서 일합니다.

22. 오늘은 우리 아파트 부녀회 **會長**을 선출하는 날입니다.

23. 이 서류는 **特定**한 형식에 맞춰서 작성해야 합니다.

24. 그들은 **對等**한 관계에 있습니다.

25. 원유 가격 인상으로 **石油** 제품의 가격이 높이 뛰었습니다.

26. 이 그림은 조선 시대를 대표하는 **民話** 중의 하나입니다.

27. **藥物**을 과다하게 복용하면 부작용이 생깁니다.

28. 감기에 걸려 **體溫**이 높아졌습니다.

29. 강원도에 **大雪** 주의보가 내렸습니다.

30. 우리 교실 앞쪽에는 태극기와 **級訓**이 걸려 있습니다.

31. 다른 **角度**에서 살펴보면 문제를 해결할 수 있을 것입니다.

32. 정월대보름에는 더위팔기를 하여 한 해의 더위를 날리는 **風習**이 있습니다.

33. 선생님께서 **多急**한 목소리로 반장을 부르셨습니다.

[34~55] 다음 漢字의 訓과 音을 쓰세요.

보기
字 → 글자 자

34. 李

35. 寸

36. 式

37. 在

38. 由

39. 半

40. 短

41. 弱

42. 飮

43. 社

44. 共

45. 死

46. 旗

47. 問

48. 業

49. 米

50. 陽

51. 聞

52. 放

53. 洋

54. 病

55. 通

[56~75] 다음 밑줄 친 漢字語를 漢字로 쓰세요.

보기

한자 → 漢字

56. 내 동생은 착한 소녀입니다.

57. 오후에는 기온이 더 떨어질 것입니다.

58. 발표 시간이 다가올수록 불안해졌습니다.

59. 이 영화는 청춘의 아름다움을 떠올리게 합니다.

60. 모든 생명은 소중합니다.

61. 오소리 아줌마는 읍내 장터까지 갔습니다.

62. 친구와 함께 등산을 했습니다.

63. 숲에서 맑은 공기를 마시고 싶습니다.

64. 추석이 오면 조상의 산소를 찾아가 성묘를 합니다.

65. 이곳은 연간 100만 명이 찾는 관광 도시입니다.

66. 매우 중대한 사건이 일어났습니다.

67. 강에는 다양한 수중 생물이 삽니다.

68. 부모님께서는 은퇴 후 강촌으로 들어가셨습니다.

69. 야외 활동하기에 좋은 날씨입니다.

70. 밤새 전국에 눈이 내렸습니다.

71. 밤이 되자 사방이 깜깜해졌습니다.

72. 장소의 변화에 따라 일이 일어난 순서를 정리해 봅니다.

73. 우리 모두 자연을 보호합시다.

74. 학교 앞에서 하차하세요.

75. 우리는 부모님께 효도를 해야 합니다.

[76~78] 다음 漢字의 반대 또는 상대되는 漢字를 찾아 그 번호를 쓰세요.

76. 學: ① 敎 ② 習 ③ 服 ④ 家

77. 夕: ① 用 ② 月 ③ 作 ④ 朝

78. 強: ① 水 ② 弱 ③ 上 ④ 大

[79~80] 다음 漢字와 뜻이 비슷한 漢字를 찾아 그 번호를 쓰세요.

79. 共: ① 利 ② 公 ③ 同 ④ 半

80. 急: ① 反 ② 速 ③ 近 ④ 理

[81~83] 다음 ( ) 안에 알맞은 漢字를 보기에서 찾아 그 번호를 쓰세요.

보기

① 小 ② 畫 ③ 畫 ④ 正
⑤ 消 ⑥ 少 ⑦ 學 ⑧ 苦

81. ( )夜長川: 밤낮으로 쉬지 않고 연달아.

82. 男女老( ): 남자와 여자, 나이 든 사람과 젊은 사람. 모든 사람.

83. 生死( )樂: 삶과 죽음, 괴로움과 즐거움.

[84~85] 다음 중 소리(音)는 같으나 뜻(訓)이 다른 漢字를 골라 그 번호를 쓰세요.

84. 古: ① 工 ② 高 ③ 氣 ④ 明

85. 等: ① 球 ② 禮 ③ 登 ④ 聞

[86~87] 다음 뜻에 맞는 漢字語를 보기에서 찾아 그 번호를 쓰세요.

보기

① 集中 ② 水面 ③ 成功
④ 地球 ⑤ 林野 ⑥ 直線

86. 물의 표면.

87. 인류가 살고 있는 천체.

[88~90] 다음 漢字의 짙게 표시한 획은 몇 번째 쓰는 획인지 보기에서 골라 그 번호를 쓰세요.

보기

① 첫 번째 ② 두 번째
③ 세 번째 ④ 네 번째
⑤ 다섯 번째 ⑥ 여섯 번째
⑦ 일곱 번째 ⑧ 여덟 번째
⑨ 아홉 번째 ⑩ 열 번째

88. 軍

89. 科

90. 郡

수험 번호 ●●● - ●● - ●●●●●　　　　성명 ⬭

생년월일 ●●●●●●　　※ 유성 싸인펜, 붉은색 필기구 사용 불가

※ 답안지는 구기거나 더럽히지 마시고, 정답 칸 안에만 쓰십시오.
　글씨가 채점란으로 들어오면 오답 처리가 됩니다.

제1회 모의 한자능력검정시험 6급II 답안지(1)

번호	정답	1검	2검	번호	정답	1검	2검	번호	정답	1검	2검
	답안란	채점란			답안란	채점란			답안란	채점란	
1				14				27			
2				15				28			
3				16				29			
4				17				30			
5				18				31			
6				19				32			
7				20				33			
8				21				34			
9				22				35			
10				23				36			
11				24				37			
12				25				38			
13				26				39			

※ 본 답안지는 구겨지거나 더렵혀지지 않도록 조심하시고 글씨를 칸 안에 또박또박 쓰십시오.

제1회 모의 한자능력검정시험 6급II 답안지(2)

번호	정답	1검	2검	번호	정답	1검	2검	번호	정답	1검	2검
40				54				68			
41				55				69			
42				56				70			
43				57				71			
44				58				72			
45				59				73			
46				60				74			
47				61				75			
48				62				76			
49				63				77			
50				64				78			
51				65				79			
52				66				80			
53				67							

※ 본 답안지는 구겨지거나 더럽혀지지 않도록 조심하시고 글씨를 칸 안에 또박또박 쓰십시오.

제1회 모의 한자능력검정시험 6급 답안지(1)

번호	정답	1검	2검	번호	정답	1검	2검	번호	정답	1검	2검
	답안란	채점란			답안란	채점란			답안란	채점란	
1				16				31			
2				17				32			
3				18				33			
4				19				34			
5				20				35			
6				21				36			
7				22				37			
8				23				38			
9				24				39			
10				25				40			
11				26				41			
12				27				42			
13				28				43			
14				29				44			
15				30				45			

※ 본 답안지는 구겨지거나 더럽혀지지 않도록 조심하시고 글씨를 칸 안에 또박또박 쓰십시오.

제1회 모의 한자능력검정시험 6급 답안지 (2)

답안란		채점란		답안란		채점란		답안란		채점란	
번호	정답	1검	2검	번호	정답	1검	2검	번호	정답	1검	2검
46				61				76			
47				62				77			
48				63				78			
49				64				79			
50				65				80			
51				66				81			
52				67				82			
53				68				83			
54				69				84			
55				70				85			
56				71				86			
57				72				87			
58				73				88			
59				74				89			
60				75				90			

제2회 모의 한자능력검정시험 6급 답안지(1)

번호	정답	1검	2검	번호	정답	1검	2검	번호	정답	1검	2검
	답안란	채점란			답안란	채점란			답안란	채점란	
1				16				31			
2				17				32			
3				18				33			
4				19				34			
5				20				35			
6				21				36			
7				22				37			
8				23				38			
9				24				39			
10				25				40			
11				26				41			
12				27				42			
13				28				43			
14				29				44			
15				30				45			

제2회 모의 한자능력검정시험 6급 답안지(2)

번호	정답	1검	2검	번호	정답	1검	2검	번호	정답	1검	2검
46				61				76			
47				62				77			
48				63				78			
49				64				79			
50				65				80			
51				66				81			
52				67				82			
53				68				83			
54				69				84			
55				70				85			
56				71				86			
57				72				87			
58				73				88			
59				74				89			
60				75				90			

초능력 급수 한자 6급

정답

6급

1주

1일 11쪽
- 😊 ❶ 各(○) ❷ 角(○)
- 😄 ❶ ④ ❷ ③ ❸ ② ❹ ①
- 어휘力 ❶ 角 ❷ 角 ❸ 角

2일 13쪽
- 😊 ❶ 열 개 ❷ 서울 경 ❸ 강할 강
- 😄 ❶ ④ ❷ ③ ❸ ② ❹ ①
- 어휘力 ❶ 京 ❷ 京

3일 15쪽
- 😊 ❷ 界(○)
- 😄 ❶ ② ❷ ④ ❸ ① ❹ ③
- 어휘力 ❶ 計 ❷ 計

4일 17쪽
- 😊 ❶ 古(○)
- 😄 ❶ ④ ❷ ② ❸ ③ ❹ ①
- 어휘力 ❶ 古 ❷ 公

5일 19쪽
- 😊 ❷ 果(○)
- 😄 ❶ ② ❷ ④ ❸ ① ❹ ③
- 어휘力 共

연습 문제 20쪽

- 📍 ❶ 고 ❷ 과 ❸ 열
- ❹ 높을 ❺ 각 ❻ 공평할
- ❼ 경 ❽ 공 ❾ 뿔
- ❿ 계 ⓫ 감 ⓬ 한가지
- ⓭ 쓸 ⓮ 계 ⓯ 강할

기출 문제 20~21쪽

1. 고지 2. 공유 3. 고대 4. 각자 5. 고행
6. 강국 7. 수정과 8. 공정 9. 성공 10. 상경
11. 학계 12. 개장 13. 생계 14. 강력 15. 직각
16. 공감 17. 지경 계 18. 공 공 19. ① 20. ②
21. ② 22. ③ 23. ② 24. ③ 25. ①
26. ① 27. ② 28. ① 29. ④ 30. ①

2주

1일 25쪽
- 😊 ❶ 科(○)
- 😄 ❶ ③ ❷ ① ❸ ② ❹ ④
- 어휘力 光

2일 27쪽
- 😊 ❸ 郡
- 😄 ❶ ③ ❷ ① ❸ ④ ❹ ②
- 어휘力 球

3일 29쪽
- 😊 ❷ 今(○)
- 😄 ❶ ① ❷ ③ ❸ ① ❹ ②
- 어휘力 今

4일 31쪽
- 😊 ❶ 急(○) ❷ 級(○)
- 😄 ❶ ④ ❷ ③ ❸ ② ❹ ①
- 어휘力 多

5일 33쪽
- 😊 ❷ 堂(○)
- 😄 ❶ ① ❷ ④ ❸ ③ ❹ ②
- 어휘力 ❶ 短 ❷ 堂, 堂

연습 문제 34쪽

- 📍 ❶ 구 ❷ 빛 ❸ 단
- ❹ 과목 ❺ 구 ❻ 급
- ❼ 가까울 ❽ 대신할 ❾ 금
- ❿ 군 ⓫ 등급 ⓬ 다
- ⓭ 사귈 ⓮ 당 ⓯ 근

기출 문제 34~35쪽

1. 지구 2. 학급 3. 과목 4. 군내 5. 중구
6. 단신 7. 근방 8. 금년 9. 식당 10. 구간
11. 과학 12. 시급 13. 교대 14. 다년간 15. 광명
16. 시대 17. 공 구 18. 고을 군 19. ③ 20. ②
21. ① 22. ③ 23. ① 24. ③ 25. ④
26. ① 27. ① 28. ③ 29. ③ 30. ④

3주

1일 39쪽
- 😊 ① 待(○) ② 對(○)
- 😊 ① ② ② ③ ③ ④ ④ ①
- 어휘力 ① 圖 ② 圖

2일 41쪽
- 😊 ③ 童(○)
- 😊 ① ② ② ① ③ ③ ④ ④
- 어휘力 童

3일 43쪽
- 😊 ① 머리 두 ② 즐길 락 ③ 무리 등
- 😊 ① ④ ② ① ③ ③ ④ ②
- 어휘力 ① 樂 ② 樂

4일 45쪽
- 😊 ② 路(○)
- 😊 ① ① ② ④ ③ ② ④ ③
- 어휘力 例

5일 47쪽
- 😊 ① 利(○)
- 😊 ① ① ② ③ ③ ② ④ ④
- 어휘力 利

연습 문제 48쪽
- ① 대 ② 도/탁 ③ 머리
- ④ 법식 ⑤ 록 ⑥ 대할
- ⑦ 독/두 ⑧ 등 ⑨ 예도
- ⑩ 리 ⑪ 그림 ⑫ 동
- ⑬ 락/악/요 ⑭ 길 ⑮ 리

기출 문제 48~49쪽
1. 대화 2. 편리 3. 도리 4. 온도 5. 도로
6. 동화 7. 고락 8. 독서 9. 평등 10. 이자
11. 선두 12. 예복 13. 음악 14. 도표 15. 녹색
16. 사례 17. 머리 두 18. 길 로 19. ③ 20. ②
21. ① 22. ② 23. ③ 24. ③ 25. ③
26. ① 27. ① 28. ③ 29. ⑦ 30. ⑧

4주

1일 53쪽
- 😊 ① 오얏/성 리 ② 밝을 명 ③ 눈 목
- 😊 ① ③ ② ① ③ ④ ④ ②
- 어휘力 ① 明, 明 ② 目

2일 55쪽
- 😊 ① 美(○)
- 😊 ① ③ ② ① ③ ② ④ ④
- 어휘力 ① 米

3일 57쪽
- 😊 ② 反(○) ③ 半(○)
- 😊 ① ④ ② ④ ③ ① ④ ②
- 어휘力 朴

4일 59쪽
- 😊 ① 필 발 ② 나눌 반 ③ 놓을 방
- 😊 ① ④ ② ② ③ ① ④ ③
- 어휘力 ① 發 ② 發

5일 61쪽
- 😊 ① 別(○)
- 😊 ① ④ ② ① ③ ② ④ ①
- 어휘力 病

연습 문제 62쪽
- ① 목 ② 반 ③ 밝을
- ④ 별 ⑤ 반 ⑥ 발
- ⑦ 쌀 ⑧ 미 ⑨ 놓을
- ⑩ 박 ⑪ 리 ⑫ 들을
- ⑬ 번 ⑭ 병 ⑮ 반

기출 문제 62~63쪽
1. 제목 2. 방심 3. 번호 4. 합반 5. 문명
6. 발표 7. 구별 8. 반대 9. 미인 10. 백미
11. 미술 12. 후반 13. 발명 14. 병명 15. 신문
16. 반감 17. 들을 문 18. 필 발 19. ② 20. ②
21. ① 22. ③ 23. ① 24. ② 25. ①
26. ③ 27. ④ 28. ① 29. ④ 30. ⑤

5주

1일 67쪽
- 😊 ❶ 服(○)
- 😄 ❶ ③   ❷ ②   ❸ ①   ❹ ④
- 어휘力 ❶ 服   ❷ 服

2일 69쪽
- 😊 ❶ 分(○)
- 😄 ❶ ②   ❷ ④   ❸ ①   ❹ ③
- 어휘力 分

3일 71쪽
- 😊 ❸ 死(○)
- 😄 ❶ ③   ❷ ②   ❸ ①   ❹ ④
- 어휘力 ❶ 書   ❷ 死

4일 73쪽
- 😊 ❶ 석   ❷ 선   ❸ 설
- 😄 ❶ ③   ❷ ④   ❸ ②   ❹ ①
- 어휘力 ❶ 線   ❷ 線

5일 75쪽
- 😊 ❶ 成(○)   ❷ 省(○)
- 😄 ❶ ④   ❷ ③   ❸ ①   ❹ ②
- 어휘力 成

연습 문제 76쪽
- ❶ 근본   ❷ 분   ❸ 사
- ❹ 글   ❺ 돌   ❻ 성
- ❼ 성/생   ❽ 소   ❾ 부
- ❿ 모일   ⓫ 선   ⓬ 눈
- ⓭ 사   ⓮ 옷   ⓯ 자리

기출 문제 76~77쪽
1. 사교   2. 독서   3. 반성   4. 한복   5. 사용
6. 수평선   7. 선로   8. 성공   9. 부하   10. 교복
11. 소실   12. 소화   13. 성인   14. 근본   15. 부분
16. 생사   17. 자리 석   18. 모일 사   19. ②   20. ①
21. ③   22. ②   23. ②   24. ①   25. ④
26. ②   27. ②   28. ④   29. ⑤   30. ⑥

6주

1일 81쪽
- 😊 ❶ 나무 수   ❷ 빠를 속   ❸ 손자 손
- 😄 ❶ ①   ❷ ④   ❸ ②   ❹ ③
- 어휘力 ❶ 樹   ❷ 樹

2일 83쪽
- 😊 ❶ 술   ❷ 습   ❸ 승
- 😄 ❶ ①   ❷ ③   ❸ ④   ❹ ②
- 어휘力 ❶ 術   ❷ 勝

3일 85쪽
- 😊 ❷ 始(○)
- 😄 ❶ ②   ❷ ①   ❸ ④   ❹ ③
- 어휘力 式

4일 87쪽
- 😊 ❶ 믿을 신   ❷ 귀신 신   ❸ 새 신
- 😄 ❶ ③   ❷ ①   ❸ ④   ❹ ②
- 어휘力 ❶ 神

5일 89쪽
- 😊 ❶ 失(○)
- 😄 ❶ ④   ❷ ①   ❸ ②   ❹ ③
- 어휘力 ❶ 愛   ❷ 夜

연습 문제 90쪽
- ❶ 습   ❷ 술   ❸ 몸
- ❹ 신   ❺ 사랑   ❻ 시
- ❼ 야   ❽ 법   ❾ 손자
- ❿ 신   ⓫ 나무   ⓬ 실
- ⓭ 믿을   ⓮ 승   ⓯ 속

기출 문제 90~91쪽
1. 애용   2. 입학식   3. 손녀   4. 수술   5. 속도
6. 야간   7. 애독자   8. 속력   9. 자습   10. 시동
11. 실신   12. 대신   13. 신입   14. 전승   15. 학습
16. 야광   17. 이길 승   18. 귀신 신   19. ②   20. ②
21. ②   22. ①   23. ①   24. ③   25. ②
26. ①   27. ④   28. ①   29. ③   30. ②

7주

1일 95쪽
- 😊 ❶ 藥(○)
- 😄 ❶ ② ❷ ③ ❸ ④ ❹ ①
- 어휘力 野

2일 97쪽
- 😊 ❶ 洋(○) ❸ 陽(○)
- 😄 ❶ ④ ❷ ③ ❸ ② ❹ ①
- 어휘力 陽

3일 99쪽
- 😊 ❶ 꽃부리 영 ❷ 길 영 ❸ 업 업
- 😄 ❶ ③ ❷ ④ ❸ ① ❹ ②
- 어휘力 業

4일 101쪽
- 😊 ❷ 溫(○)
- 😄 ❶ ④ ❷ ② ❸ ① ❹ ③
- 어휘力 溫

5일 103쪽
- 😊 ❶ 運(○)
- 😄 ❶ ② ❷ ③ ❸ ④ ❹ ①
- 어휘力 園

연습 문제   104쪽

- ❶ 야   ❷ 볕   ❸ 업
- ❹ 온   ❺ 옮길   ❻ 약
- ❼ 큰 바다   ❽ 영   ❾ 용
- ❿ 동산   ⑪ 약   ⑫ 말씀
- ⑬ 길   ⑭ 용   ⑮ 원

기출 문제   104~105쪽

1. 양지	2. 영원	3. 약자	4. 평야	5. 언어
6. 온도	7. 운동	8. 야외	9. 정원	10. 야생
11. 용기	12. 이용	13. 운행	14. 생업	15. 약초
16. 원대	17. 동산 원	18. 말씀 언	19. ①	20. ②
21. ③	22. ②	23. ①	24. ②	25. ④
26. ②	27. ③	28. ①	29. ⑤	30. ④

8주

1일 109쪽
- 😊 ❶ 由(○) ❷ 油(○)
- 😄 ❶ ① ❷ ② ❸ ③ ❹ ④
- 어휘力 油

2일 111쪽
- 😊 ❶ 飮(○)
- 😄 ❶ ④ ❷ ② ❸ ③ ❹ ①
- 어휘力 意

3일 113쪽
- 😊 ❸ 者(○)
- 😄 ❶ ③ ❷ ① ❸ ④ ❹ ②
- 어휘力 ❶ 醫 ❷ 者

4일 115쪽
- 😊 ❸ 章(○)
- 😄 ❶ ① ❷ ③ ❸ ② ❹ ④
- 어휘力 作

5일 117쪽
- 😊 ❷ 才(○)
- 😄 ❶ ① ❷ ② ❸ ④ ❹ ③
- 어휘力 ❶ 才 ❷ 在

연습 문제   118쪽

- ❶ 옷   ❷ 기름   ❸ 은
- ❹ 작   ❺ 음   ❻ 뜻
- ❼ 의   ❽ 음   ❾ 자
- ❿ 지을   ⑪ 재   ⑫ 장
- ⑬ 재주   ⑭ 유   ⑮ 전

기출 문제   118~119쪽

1. 음식	2. 발음	3. 전력	4. 주유	5. 천재
6. 학자	7. 도장	8. 현재	9. 자유	10. 의식주
11. 작가	12. 문장	13. 의술	14. 은행	15. 동의
16. 금은	17. 의원 의	18. 있을 재	19. ②	20. ②
21. ①	22. ②	23. ③	24. ②	25. ①
26. ③	27. ②	28. ①	29. ③	30. ⑤

9주

1일 123쪽
- 😊 ❶ 庭(○) ❸ 定(○)
- 😄 ❶ ① ❷ ② ❸ ③ ❹ ④
- 어휘력 😈 第

2일 125쪽
- 😊 ❶ 題(○)
- 😄 ❶ ④ ❷ ② ❸ ① ❹ ③
- 어휘력 😈 朝

3일 127쪽
- 😊 ❷ 集(○)
- 😄 ❶ ① ❷ ② ❸ ④ ❹ ③
- 어휘력 😈 ❶ 注 ❷ 集

4일 129쪽
- 😊 ❸ 體(○)
- 😄 ❶ ③ ❷ ④ ❸ ① ❹ ②
- 어휘력 😈 ❶ 體 ❷ 體

5일 131쪽
- 😊 ❶ 클 태 ❷ 친할 친 ❸ 통할 통
- 😄 ❶ ③ ❷ ② ❸ ① ❹ ④
- 어휘력 😈 ❶ 親 ❷ 太

연습 문제　132쪽

- 📍 ❶ 클 ❷ 정할 ❸ 정 ❹ 집
- ❺ 차례 ❻ 족 ❼ 청 ❽ 친할 ❾ 창
- ❿ 제 ⓫ 체 ⓬ 통 ⓭ 조 ⓮ 주 ⓯ 낮

기출 문제　132~133쪽

1. 정시　2. 제일　3. 민족　4. 통화　5. 가정
6. 주입　7. 창문　8. 태평양　9. 집계　10. 체감
11. 조식　12. 청명　13. 친정　14. 문제　15. 주목
16. 주간　17. 겨레 족　18. 뜰 정　19. ②　20. ①
21. ①　22. ③　23. ①　24. ①　25. ④
26. ①　27. ①　28. ②　29. ⑥　30. ④

10주

1일 137쪽
- 😊 ❶ 표 ❷ 풍 ❸ 특
- 😄 ❶ ③ ❷ ④ ❸ ① ❹ ②
- 어휘력 😈 ❶ 風 ❷ 表

2일 139쪽
- 😊 ❶ 行(○) ❸ 幸(○)
- 😄 ❶ ② ❷ ③ ❸ ④ ❹ ①
- 어휘력 😈 合

3일 141쪽
- 😊 ❶ 나타날 현 ❷ 모양 형 ❸ 향할 향
- 😄 ❶ ④ ❷ ① ❸ ② ❹ ③
- 어휘력 😈 形

4일 143쪽
- 😊 ❷ 和(○)
- 😄 ❶ ③ ❷ ④ ❸ ② ❹ ①
- 어휘력 😈 ❶ 畫 ❷ 畫

5일 145쪽
- 😊 ❷ 訓(○)
- 😄 ❶ ③ ❷ ② ❸ ① ❹ ④
- 어휘력 😈 黃

연습 문제　146쪽

- 📍 ❶ 풍 ❷ 합할 ❸ 다행 ❹ 화
- ❺ 겉 ❻ 행/항 ❼ 향할 ❽ 회
- ❾ 누를 ❿ 훈 ⓫ 호 ⓬ 그림/그을
- ⓭ 형 ⓮ 특별할 ⓯ 현

기출 문제　146~147쪽

1. 표면　2. 구호　3. 기호　4. 황금　5. 특색
6. 방향　7. 행동　8. 합의　9. 특사　10. 다행
11. 회장　12. 형식　13. 교훈　14. 향상　15. 화가
16. 현장　17. 이름 호　18. 가르칠 훈　19. ②　20. ③
21. ①　22. ②　23. ③　24. ③　25. ②
26. ④　27. ④　28. ①　29. ⑤　30. ⑥

6급 II 1회

1. 기력
2. 편리
3. 지구
4. 부문
5. 식물
6. 금년
7. 공부
8. 내과
9. 가업
10. 강풍
11. 대표
12. 각자
13. 차선
14. 선조
15. 동창
16. 안전
17. 신분
18. 주소
19. 방학
20. 소화
21. 휴일
22. 행동
23. 행운
24. 등장
25. 답신
26. 방도
27. 반성
28. 전화
29. 공간
30. 도면
31. 부족
32. 과연
33. 대할 대
34. 효도 효
35. 한국/나라 한
36. 어제 작
37. 작을 소
38. 사내 남
39. 들을 문
40. 밝을 명
41. 종이 지
42. 글 서
43. 길 로
44. 가을 추
45. 눈 설
46. 부을 주
47. 뜻 의
48. 클 태
49. 공평할 공
50. 지경 계
51. 매양 매
52. 새 신
53. 사귈 교
54. 사랑 애
55. 집 당
56. 고을 읍
57. 지을 작
58. 재주 술
59. 몸 체
60. 모양 형
61. 차례 제
62. ③
63. ④
64. ③
65. ④
66. ④
67. ②
68. 父母
69. 土木
70. 三月
71. 王室
72. 東海
73. 外國
74. 水軍
75. 立冬
76. 白色
77. 教育
78. ⑧
79. ⑦
80. ⑨

6급 1회

1. 노인
2. 평등
3. 분수
4. 교가
5. 급속
6. 정직
7. 금은
8. 음악
9. 오전
10. 정원
11. 하복
12. 석양
13. 용변
14. 합석
15. 고도
16. 백성
17. 집계
18. 녹색
19. 영재
20. 현재
21. 서양
22. 번호
23. 통로
24. 하의
25. 제목
26. 이유
27. 영원
28. 온화
29. 수림
30. 두각
31. 근본
32. 남향
33. 승자
34. 마을 촌
35. 느낄 감
36. 귀신 신
37. 아름다울 미
38. 쓸 고
39. 친할 친
40. 일만 만
41. 서울 경
42. 싸움 전
43. 많을 다
44. 예도 례
45. 고을 군
46. 기다릴 대

47. 구분할/지경 구
48. 아이 동
49. 사랑 애
50. 나눌 반
51. 비로소 시
52. 법식 례
53. 가까울 근
54. 날랠 용
55. 누를 황
56. 市民
57. 兄弟
58. 入口
59. 左右
60. 來年
61. 自然
62. 木手
63. 空中
64. 每日
65. 教育
66. 室內
67. 後事
68. 世上
69. 同時
70. 千金
71. 花草
72. 江北
73. 主人
74. 國旗
75. 生色
76. ①
77. ②
78. ③
79. ①
80. ③
81. ⑦
82. ②
83. ①
84. ③
85. ①
86. ④
87. ⑥
88. ③
89. ⑥
90. ⑦

6급 2회

1. 청명
2. 야외
3. 식당
4. 입동
5. 구속
6. 청년
7. 국군
8. 소신
9. 의도
10. 가정
11. 인력거
12. 창문
13. 용기
14. 사용
15. 내년
16. 유명
17. 독서
18. 개발
19. 소실
20. 의학
21. 농사
22. 회장
23. 특정
24. 대등
25. 석유
26. 민화
27. 약물
28. 체온
29. 대설
30. 급훈
31. 각도
32. 풍습
33. 다급
34. 오얏/성 리
35. 마디 촌
36. 법 식
37. 있을 재
38. 말미암을 유
39. 반 반
40. 짧을 단
41. 약할 약
42. 마실 음
43. 모일 사
44. 한가지 공
45. 죽을 사
46. 기 기
47. 물을 문
48. 업 업
49. 쌀 미
50. 볕 양
51. 들을 문
52. 놓을 방
53. 큰 바다 양
54. 병 병
55. 통할 통
56. 少女
57. 午後
58. 不安
59. 青春
60. 生命
61. 邑內
62. 登山
63. 空氣
64. 祖上
65. 年間
66. 重大
67. 水中
68. 江村
69. 活動
70. 全國
71. 四方
72. 場所
73. 自然
74. 下車
75. 孝道
76. ①
77. ④
78. ②
79. ③
80. ②
81. ②
82. ⑥
83. ⑧
84. ②
85. ③
86. ②
87. ④
88. ⑨
89. ⑧
90. ⑩

모르는 한자가 있으면 초능력 급수 한자 8급을 다시 공부하세요.

校 학교 교	敎 가르칠 교	九 아홉 구	國 나라 국	軍 군사 군
金 쇠 금 성(姓) 김	南 남녘 남	女 계집 녀	年 해 년	大 큰 대
東 동녘 동	六 여섯 륙	萬 일만 만	母 어미 모	木 나무 목
門 문 문	民 백성 민	白 흰 백	父 아비 부	北 북녘 북 달아날 배
四 넉 사	山 메 산	三 석 삼	生 날 생	西 서녘 서
先 먼저 선	小 작을 소	水 물 수	室 집 실	十 열 십
五 다섯 오	王 임금 왕	外 바깥 외	月 달 월	二 두 이
人 사람 인	一 한 일	日 날 일	長 긴 장	弟 아우 제
中 가운데 중	靑 푸를 청	寸 마디 촌	七 일곱 칠	土 흙 토
八 여덟 팔	學 배울 학	韓 한국 나라 한	兄 형 형	火 불 화

모르는 한자가 있으면 초능력 급수 한자 7급을 다시 공부하세요.

家* 집 가	歌 노래 가	間* 사이 간	江* 강 강	車* 수레 거 / 수레 차
工* 장인 공	空* 빌 공	口 입 구	旗 기 기	氣* 기운 기
記* 기록할 기	男* 사내 남	內* 안 내	農* 농사 농	答* 대답 답
道* 길 도	動* 움직일 동	同 한가지 동	洞 골 동 / 밝을 통	冬 겨울 동
登 오를 등	來 올 래	力* 힘 력	老 늙을 로	里 마을 리
林 수풀 림	立* 설 립	每* 매양 매	面 낯 면	名* 이름 명
命 목숨 명	文 글월 문	問 물을 문	物* 물건 물	方* 모 방
百 일백 백	夫 지아비 부	不* 아닐 불	事* 일 사	算 셈 산
上* 윗 상	色 빛 색	夕 저녁 석	姓* 성 성	世* 인간 세
少 적을 소	所 바 소	手* 손 수	數 셈 수	時* 때 시
市* 저자 시	食* 밥 식 / 먹을 식	植 심을 식	心 마음 심	安* 편안 안
語 말씀 어	然 그럴 연	午* 낮 오	右* 오를/오른 (쪽) 우	有 있을 유
育 기를 육	邑 고을 읍	入 들 입	子* 아들 자	自* 스스로 자
字 글자 자	場* 마당 장	電* 번개 전	前* 앞 전	全 온전 전
正* 바를 정	祖 할아비 조	足 발 족	左* 왼 좌	住 살 주
主 임금 / 주인 주	重 무거울 중	紙 종이 지	地 땅 지	直* 곧을 직
千 일천 천	天 하늘 천	川 내 천	草 풀 초	村 마을 촌
秋 가을 추	春 봄 춘	出 날 출	便 편할 편 / 똥오줌 변	平* 평평할 평
下* 아래 하	夏 여름 하	漢* 한수 / 한나라 한	海* 바다 해	話* 말씀 화
花 꽃 화	活* 살 활	孝* 효도 효	後* 뒤 후	休 쉴 휴

*: 7급Ⅱ

各 角 感 强 開

京 界 計 高 古

苦 公 共 功 果

科 光 交 球 區

郡 根 近 今 急

級 多 短 堂 代

開 열 개	**強** 강할 강	**感** 느낄 감	**角** 뿔 각	**各** 각각 각
내일 開학을 해요. → 방학이 끝나 다시 수업을 시작함.	바람이 매우 強력해요. → 힘이 세고 강함.	感동을 받았어요. → 깊이 느껴 마음이 움직임.	角도를 정확히 재요. → 각의 크기.	各자 할 일을 해요. → 저마다. 제각기.
古 예 고	**高** 높을 고	**計** 셀 계	**界** 지경 계	**京** 서울 경
古물을 고쳐서 써요. → 헐거나 낡은 물건.	高급 음식점에 갔어요. → 등급이나 수준이 높음.	計산을 잘못했어요. → 숫자나 수량을 헤아림.	세界 지도를 보았어요. → 지구상의 모든 나라.	기차를 타고 상京해요. → 지방에서 서울로 감.
果 실과 과	**功** 공 공	**共** 한가지 공	**公** 공평할 공	**苦** 쓸 고
올해 성果가 좋아요. → 이루어낸 결과.	성功을 축하합니다. → 목적하는 바를 이룸.	그의 말에 共감해요. → 다른 사람의 의견에 자기도 그렇다고 느낌.	公정한 사회를 원해요. → 치우침 없이 공평하고 올바름.	젊을 때 苦생을 했어요. → 어렵고 힘든 일이나 생활.
區 구분할 /지경 구	**球** 공 구	**交** 사귈 교	**光** 빛 광	**科** 과목 과
이 區간은 조금 막혀요. → 어떤 지점과 다른 지점과의 사이.	지球를 사랑합시다. → 우리가 살고 있는 곳.	동물도 서로 交감을 해요. → 서로 같은 마음을 나누고 있다고 느낌.	일光에 눈이 부셔요. → 햇빛.	科학은 매우 재밌어요. → 자연의 이치 등을 연구하는 학문.
急 급할 급	**今** 이제 금	**近** 가까울 근	**根** 뿌리 근	**郡** 고을 군
急행 열차를 탔어요. → 보통 열차보다 빠른 열차.	今방 도착할 거야. → 이제 곧. 지금 막.	近래에 수학 성적이 올랐어요. → 요즈음. 요사이.	根본적인 문제를 해결해야 해요. → 사물이 생긴 본바탕.	郡민들이 모두 모였어요. → 행정 구역의 하나인 군에 사는 사람.
代 대신할 대	**堂** 집 당	**短** 짧을 단	**多** 많을 다	**級** 등급 급
교代로 청소를 해요. → 어떤 일을 여러 사람이 번갈아 맡아 함.	식堂에서 밥을 먹어요. → 음식을 만들어 파는 가게.	모든 일에는 장短이 있어요. → 좋은 점과 나쁜 점.	그는 多방면에서 뛰어나요. → 여러 분야나 방면.	級훈을 정합시다. → 학급의 교육 목표로 정한 교훈.

待 對 圖 度 讀

童 頭 等 樂 例

禮 路 綠 利 理

李 明 目 聞 美

米 朴 半 反 班

發 放 番 別 病

✂

| 讀 읽을 독 / 구절 두 | 度 법도 도 / 헤아릴 탁 | 圖 그림 도 | 對 대할 대 | 待 기다릴 대 |

讀서의 계절입니다.
→ 책을 읽음.

온度가 매우 높습니다.
→ 덥거나 찬 정도.

圖표를 함께 봅시다.
→ 그림으로 그려 나타낸 표.

질문에 對답하세요.
→ 물음이나 요구에 응함.

기待가 크면 실망도 커요.
→ 어떤 일이 원하는 대로 되기를 바람.

| 例 법식 례 | 樂 즐길 락 / 노래 악 / 좋아할 요 | 等 무리 등 | 頭 머리 두 | 童 아이 동 |

구체적 사例를 제시해요.
→ 어떤 일이 전에 실제로 일어난 예.

음樂을 들으면 행복해요.
→ 목소리나 악기로 좋은 소리를 만드는 예술.

평等한 사회를 원해요.
→ 모든 사람에게 차별 없이 똑같음.

선頭에 서서 달려요.
→ 맨 앞에 서는 사람. 그 위치.

재미있는 童화를 봤어요.
→ 어린이를 위해 지은 이야기.

| 理 다스릴 리 | 利 이할 리 | 綠 푸를 록 | 路 길 로 | 禮 예도 례 |

자식의 도理를 다해요.
→ 사람이 마땅히 지켜야 하는 것.

대중교통을 利용해요.
→ 대상을 필요에 따라 이롭게 씀.

綠지를 보존해요.
→ 풀과 나무가 많아 푸른 땅.

도路에 차가 많아요.
→ 사람이나 차가 다니는 길.

결혼식에서 禮복을 입어요.
→ 예식 때 입는 옷.

| 美 아름다울 미 | 聞 들을 문 | 目 눈 목 | 明 밝을 명 | 李 오얏/성 리 |

美술 시간이 좋아요.
→ 아름다움을 표현하는 예술.

소聞이 널리 퍼졌어요.
→ 사람들 사이에 퍼진 말이나 소식.

그는 이目을 끌었어요.
→ 귀와 눈. 다른 사람들의 관심.

明도의 차이가 나요.
→ 색의 밝고 어두운 정도.

李화 향기가 좋아요.
→ 자두나무의 꽃.

| 班 나눌 반 | 反 돌이킬/돌아올 반 | 半 반 반 | 朴 성 박 | 米 쌀 미 |

班장을 뽑았어요.
→ 반을 대표하여 일하는 사람.

그 의견에 反대해요.
→ 의견이나 생각에 따르지 않고 맞섬.

벌써 半년이 지났어요.
→ 한 해의 반인 여섯 달.

영진이는 소朴해요.
→ 꾸밈이나 거짓이 없고 화려하지 않고 평범함.

백米로 밥을 지어요.
→ 흰 쌀.

| 病 병 병 | 別 다를/나눌 별 | 番 차례 번 | 放 놓을 방 | 發 필 발 |

친구의 문病을 갔어요.
→ 아픈 사람을 찾아가 위로함.

특別한 재능이 있어요.
→ 수준이나 질이 보통과 다름.

番호를 붙여요.
→ 차례를 나타내 붙이는 숫자.

放심하면 안 돼요.
→ 조심하지 않고 마음을 놓아 버림.

사고가 發생했어요.
→ 어떤 일이나 사물이 생겨남.

服	本	部	分	社
使	死	晝	席	石
線	雪	成	省	消
速	孫	樹	術	習
勝	始	式	身	神
信	新	失	愛	夜

社 모일 사

社교 모임에 나갔어요.
→ 여러 사람과 어울리고 사귀는 것.

分 나눌 분

기分이 좋아요.
→ 좋고 나쁨 등의 감정을 느끼는 상태.

部 떼 부

썩은 部분을 잘라내요.
→ 전체를 여러 개로 나눈 것 가운데 하나.

本 근본 본

그는 결국 本색을 드러냈어요.
→ 원래의 특색이나 정체.

服 옷 복

교服을 입고 싶어요.
→ 학교에서 학생들이 입도록 특별히 정한 옷.

石 돌 석

石공이 돌을 다듬어요.
→ 돌을 다루어 물건을 만드는 사람.

席 자리 석

출席을 확인해요.
→ 수업이나 모임 등에 참석함.

書 글 서

교과書로 공부해요.
→ 어떤 과목을 가르치기 위한 책.

死 죽을 사

사고로 생死를 오갔어요.
→ 삶과 죽음.

使 하여금/부릴 사

고운 말을 使용해요.
→ 무엇을 필요한 일이나 기능에 맞게 씀.

消 사라질 소

문화재가 消실됐어요.
→ 사라져 없어지거나 그렇게 잃어버림.

省 살필 성, 덜 생

잘못을 반省해요.
→ 자신의 말, 행동에 잘못이 없는지 돌이켜 봄.

成 이룰 성

득점에 成공했어요.
→ 바라거나 목표하는 것을 이룸.

雪 눈 설

피부가 백雪같이 하얘요.
→ 하얀 눈.

線 줄 선

기차가 線로를 벗어났어요.
→ 기차 등이 다니도록 깔아 놓은 길.

習 익힐 습

학習 시간에 집중해요.
→ 지식이나 기술을 배우고 익히는 일.

術 재주 술

친구는 화術이 좋아요.
→ 말을 잘하는 슬기와 능력.

樹 나무 수

과樹원에 갔어요.
→ 과실나무를 심은 밭.

孫 손자 손

할머니는 孫녀가 세 명이에요.
→ 아들의 딸. 딸의 딸.

速 빠를 속

자동차 速도가 빨라요.
→ 물체가 나아가는 빠르기.

神 귀신 신

단군 神화를 배웠어요.
→ 신과 같은 존재에 대한 신비로운 이야기.

身 몸 신

身체 검사를 해요.
→ 사람의 몸.

式 법 식

수학 公式이 어려워요.
→ 계산 방법을 나타낸 식.

始 비로소 시

공부를 始작해요.
→ 어떤 일이나 행동을 처음으로 함.

勝 이길 승

우리가 勝리했어요.
→ 전쟁, 경기에서 싸워서 이기는 것.

夜 밤 야

이 구슬은 夜광이에요.
→ 어두운 곳에서 빛을 내는 것.

愛 사랑 애

국산품을 愛용해요.
→ 어떤 물건을 좋아해서 즐겨 사용함.

失 잃을 실

失수를 했어요.
→ 잘 알지 못하거나 주의하지 않아서 잘못함.

新 새 신

新인 작가를 만나요.
→ 어떤 분야에서 새로 활동하는 사람.

信 믿을 신

자信감을 키워요.
→ 어떤 일을 할 수 있다고 스스로 믿는 것.

野	弱	藥	陽	洋
言	業	英	永	溫
勇	用	運	園	遠
由	油	銀	音	飮
意	醫	衣	者	作
昨	章	才	在	戰

✂

洋 큰 바다 양
나는 해洋 경찰이 되고 싶어요.
→ 넓고 큰 바다.

陽 볕 양
석陽이 아름다워요.
→ 저녁때의 햇빛. 저녁 때의 저무는 해.

藥 약 약
할아버지께서 산에서 藥초를 캐셨어요.
→ 약으로 쓰는 풀.

弱 약할 약
弱자를 괴롭히면 안 돼요.
→ 힘이나 권력이 약한 사람.

野 들 야
野외로 소풍을 갔어요.
→ 도시에서 조금 떨어 져 있는 들판.

溫 따뜻할 온
溫수로 목욕을 해요.
→ 따뜻한 물.

永 길 영
永원한 우정을 맹세해요.
→ 언제까지나 변하지 않음.

英 꽃부리 영
英어를 잘하고 싶어요.
→ 영국, 미국, 호주 등 에서 쓰는 언어.

業 업 업
작業에 몰두해요.
→ 목적을 가지고 계획 에 따라 하는 일.

言 말씀 언
발言 기회를 얻고 말해요.
→ 말을 하여 의견을 나 타냄.

遠 멀 원
遠대한 꿈을 꿔요.
→ 미래에 대한 계획, 꿈이 큰.

園 동산 원
정園을 가꾸어요.
→ 집 안에 가꾸어 놓은 뜰이나 꽃밭.

運 옮길 운
행運을 빌어요.
→ 좋은 운수. 행복한 운수.

用 쓸 용
친환경 用지를 써요.
→ 어떤 일에 쓰는 일정 한 종이.

勇 날랠 용
勇기 있게 도전합시다.
→ 겁이 없고 씩씩한 기 운.

飮 마실 음
맛있는 飮식을 먹어요.
→ 사람이 먹고 마실 수 있게 만든 것.

音 소리 음
또박또박 발音해요.
→ 말의 소리를 내는 일.

銀 은 은
銀행에 돈을 맡겨요.
→ 사람들의 돈을 맡아 관리 · 운영하는 기관.

油 기름 유
자동차에 주油를 해요.
→ 자동차나 기계에 기 름을 넣는 것.

由 말미암을 유
어디에서 由래한 걸까?
→ 사물이나 일이 생겨 난 역사.

作 지을 작
그 作가의 소설이 좋아요.
→ 시나 소설 등을 창작 하는 사람.

者 놈 자
기者가 사건을 취재해요.
→ 기사를 취재하여 쓰 는 사람.

衣 옷 의
겨울에는 내衣를 입어요.
→ 겉옷의 속에 받쳐 입 는 옷.

醫 의원 의
오빠는 醫학을 배워요.
→ 병을 예방, 치료하기 위한 학문.

意 뜻 의
저도 그 의견에 동意해요.
→ 남의 의견에 찬성하 는 것.

戰 싸움 전
이번 작戰은 실패예요.
→ 싸움을 진행하는 방 법을 세움.

在 있을 재
현在 몇 시예요?
→ 지금 이 시간.

才 재주 재
才능을 개발해요.
→ 개인의 타고난 재주 와 능력.

章 글 장
한 문章으로 요약해요.
→ 말, 글에서 완결된 내용 을 나타내는 최소 단위.

昨 어제 작
키가 昨년보다 많이 컸 어요.
→ 지난해.

庭 定 第 題 朝

族 注 畫 集 窓

淸 體 親 太 通

特 表 風 合 幸

行 向 現 形 號

和 晝 黃 會 訓

朝 아침 조	題 제목 제	第 차례 제	定 정할 정	庭 뜰 정
朝석으로 운동해요. ➜ 아침과 저녁.	문題가 너무 어려워요. ➜ 해답을 요구하는 물음.	민주와 第일 친해요. ➜ 여럿 가운데에서 첫째가는 것.	버스가 定시에 출발해요. ➜ 일정한 시간이나 시기.	화목한 가庭을 이루어요. ➜ 한 가족이 생활하는 집.

窓 창 창	集 모을 집	晝 낮 주	注 부을 주	族 겨레 족
窓문 밖을 봐요. ➜ 빛이 통하게 벽에 낸 문.	공부할 때 集중해요. ➜ 어떤 일에 정신을 모으는 것.	가게를 晝간에만 열어요. ➜ 먼동이 터서 해가 지기 전까지의 동안.	모두 注목해 주세요. ➜ 관심을 가지고 주의 깊게 살핌.	가族과 나들이를 가요. ➜ 부모와 자식. 형제자매 등의 관계.

通 통할 통	太 클 태	親 친할 친	體 몸 체	淸 맑을 청
通행이 금지되었어요. ➜ 어떤 장소를 지나다님.	太평양을 보았어요. ➜ 세계 5대양 가운데 하나.	동생과 親근하게 지내요. ➜ 사이가 아주 가깝고 다정함.	體감 온도가 낮아요. ➜ 몸으로 어떤 감각을 느낌.	날씨가 매우 淸명해요. ➜ 날씨가 맑고 밝음.

幸 다행 행	合 합할 합	風 바람 풍	表 겉 표	特 특별할 특
소소한 幸복을 찾아요. ➜ 충분한 만족과 기쁨을 느끼는 상태.	合의를 이뤘어요. ➜ 서로 의견이 일치함. 또는 그 의견.	태風 피해가 커요. ➜ 큰 비를 내리며 부는 매우 센 바람.	고마움을 表현해요. ➜ 생각이나 느낌을 말이나 몸짓으로 나타냄.	特색을 살려 그려요. ➜ 보통의 것과 다른 점.

號 이름 호	形 모양 형	現 나타날 현	向 향할 향	行 다닐 행 항렬 항
구號를 외쳤어요. ➜ 요구나 주장 등을 나타내는 짧은 말이나 글.	지形이 특이해요. ➜ 땅의 생긴 모양.	現장에 직접 가 봐요. ➜ 어떤 일이 직접 일어난 장소.	방向을 모르겠어요. ➜ 무엇이 나아가거나 향하는 쪽.	行방을 찾고 있어요. ➜ 간 곳이나 방향.

訓 가르칠 훈	會 모일 회	黃 누를 황	畫 그림 화 그을 획	和 화할 화
우리 집 가訓을 정했어요. ➜ 한 집안에서 자손들을 가르치는 교훈.	會장 선거를 했어요. ➜ 모임의 우두머리. 모임을 대표하는 사람.	논이 黃금빛으로 물들었어요. ➜ 누런빛의 금.	畫가가 되고 싶어요. ➜ 그림을 그리는 일을 전문으로 하는 사람.	和합을 이뤄요. ➜ 사이좋고 화목하게 어울리는 것.